prima *A2*

Deutsch für Jugendliche

Band **3**

Arbeitsbuch

Friederike Jin
Lutz Rohrmann

prima A2 / Band 3
Deutsch für Jugendliche
Arbeitsbuch

Im Auftrag des Verlages erarbeitet von
Friederike Jin und Lutz Rohrmann
Kleine und Große Pause: Grammatiki Rizou

Projektleitung: Gunther Weimann
Redaktion: Lutz Rohrmann und Jitka Staňková

Beratende Mitwirkung: Jarmila Antošová, Panagiotis Gerou, Grammatiki Rizou,
Ildiko Soti, Violetta Katiniene, Milena Zbranková

Illustrationen: Lukáš Fibrich
Bildredaktion: Věra Frausová
Layout und technische Umsetzung: Milada Hartlová
Umschlaggestaltung: werkstatt für gebrauchsgrafik, Berlin

Weitere Materialien
Schülerbuch: ISBN 978-3-06-020075-7
Audio-CD zum Schülerbuch: ISBN 978-3-06-020077-1
Handreichungen für den Unterricht: ISBN 978-3-06-020171-6

www.cornelsen.de

Die Links zu externen Webseiten Dritter, die in diesem Lehrwerk angegeben sind, wurden
vor Drucklegung sorgfältig auf ihre Aktualität geprüft. Der Verlag übernimmt keine Gewähr für die
Aktualität und den Inhalt dieser Seiten oder solcher, die mit ihnen verlinkt sind.

1. Auflage, 4. Druck 2013

Alle Drucke dieser Auflage sind inhaltlich unverändert und können im Unterricht nebeneinander
verwendet werden.

Druck: Stürtz GmbH, Würzburg

ISBN 978-3-06-020076-4

 Inhalt gedruckt auf säurefreiem Papier aus nachhaltiger Forstwirtschaft.

Inhalt

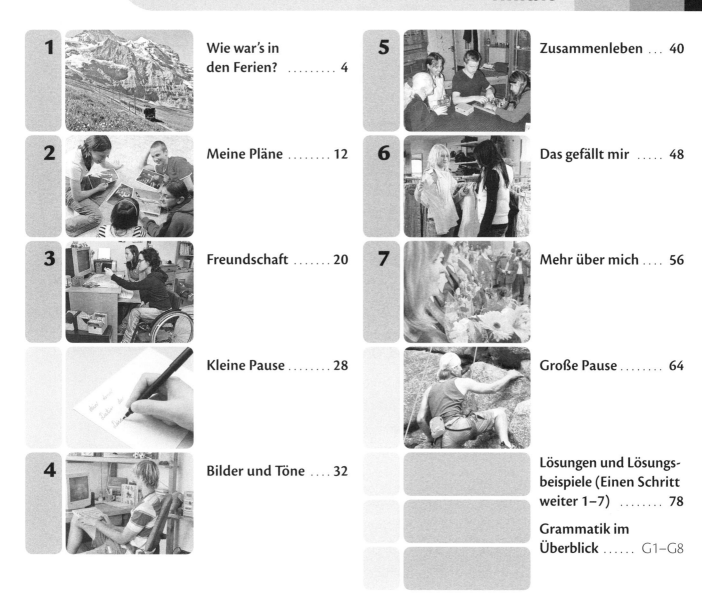

 Hören

 Schreiben

 Lesen

 Sprechen

 dein Portfolio

Herzlich willkommen zu prima 3!

1 Von den Ferien erzählen

CD 2

a Hör zu. Welches Bild, welche Aussage passt zu Text 1 und 2?

Text 1

☐ Da war richtig was los.

☐ Es war total blöd.

☐ Es war total gemütlich.

Text 2

☐ Da war nichts los.

☐ Das war voll cool.

☐ Ich war total deprimiert.

b Benutze eine Europakarte und ordne die Länder zu.
Sie sind die Nachbarn von Deutschland, Österreich und der Schweiz.

1. Die Hauptstadt heißt Brüssel. Man spricht Französisch und Flämisch. ☑k

2. Das Land ist klein. Es liegt zwischen Deutschland und Nr. 3. ☐

3. Das Land ist groß. Es liegt im Westen von Europa. ☐

4. 60 Kilometer im Osten von Wien kommt man in ☐.

5. Das Land ist klein. Es liegt im Süden von Österreich. ☐

6. Dieses Land in Südeuropa sieht aus wie ein großer Schuh. ☐

7. Nur 100 Kilometer östlich von Berlin kommt man nach ☐.

8. Im Norden von Österreich und im Osten von Deutschland liegt ☐.

9. Man fährt von Hamburg nach Norden und kommt zuerst nach ☐.

10. Die Hauptstadt von diesem Land heißt Budapest. ☐

11. Dieses Land liegt nordwestlich von Deutschland. ☐

a) Dänemark

b) die Niederlande

c) die Slowakei

d) Frankreich

e) Italien

f) Luxemburg

g) Polen

h) Slowenien

i) Tschechien

j) Ungarn

k) ~~Belgien~~

c Und eure Nachbarländer? Schreib Sätze und ratet in der Klasse.

d Lies die Liste und ergänze dein Land.

Land	Sprache(n)	Mann	Frau
Deutschland	Deutsch	der Deutsche	die Deutsche
Österreich	Deutsch	der Österreicher	die Österreicherin
Schweiz	Deutsch/Französisch/ Italienisch/Rätoromanisch	der Schweizer	die Schweizerin
Europa	…	der Europäer	die Europäerin
…………………	…………………	…………………	…………………

Ich komme aus …   Ich spreche …   Ich bin …

2 **Mit wem?**

a Ergänze die Tabelle.

de.*m* Bruder	de… Fahrrad	de… Schwester	de… Freunde.*n*
eine… Bruder	eine… Fahrrad	eine… Schwester	— Freunde…
meine… Bruder	meine… Fahrrad	meine… Schwester	meine… Freunde…

b Ergänze die Dativendungen.

1. Ich war mit mein......... Freund im Schwimmbad.

2. Möchtest du mit dein......... Eltern in die Disco gehen?

3. Kommst du zu mein......... Party?

4. Wir haben bei unser......... Tante übernachtet.

5. Seit ihr... Deutschkurs in Gaienhofen kann sie viel besser sprechen.

6. Wie viele Jungen waren in eur......... Gruppe?

c Dativ oder Akkusativ? Ergänze.

1. ▶ Hast du ein......... Rucksack? ▶ Klar, ich gehe immer mit mein......... Rucksack wandern.

2. ▶ Siehst du dein......... Cousins oft? ▶ Nein, ich fahre nur selten zu mein......... Cousins.

3. ▶ Sind die Ohrringe für dein......... Freundin? ▶ Nein, die sind von mein......... Freundin für mich.

4. ▶ Mit wem hast du dein......... Reise nach Italien gemacht? ▶ Mit mein......... Freund Helmut.

5. ▶ Wo habt ihr auf eur......... Reise übernachtet?

   ▷ Wir haben meistens in ein......... Jugendherberge geschlafen.

3 **Vermutungen**

a Schreib die Verben in eine Tabelle im Heft.

schreiben • fahren • kommen • treffen • tanzen • essen • fliegen • schwimmen • machen • sehen • laufen

Verben mit sein
Ich bin gegangen.
Verben mit haben
Ich habe gestanden.

b Schreib mit jedem Verb eine Vermutung. Kontrolliert in der Klasse.

Vielleicht ist er nach Bolivien geflogen.
Er hat wahrscheinlich…

Wie war's in den Ferien?

4

CD 3

Klima und Wetter

a Hör die Monatsnamen zweimal und schreib sie in die Tabelle.

Wortakzent am Anfang	Wortakzent am Ende	Wortakzent in der Mitte	Nur eine Silbe
Januar	*April*	*September*	*März*

b Wiederholung: *im, am, um* – Welche Präposition passt?

im				
Frühling	Januar	Montag	Vormittag	8 Uhr
Sommer	Februar	Dienstag	Nachmittag	halb zwölf
Herbst	März	Mittwoch	Abend	20 Uhr 15
Winter				

c Hier fehlt fünfmal *es*. Ergänze den Text.

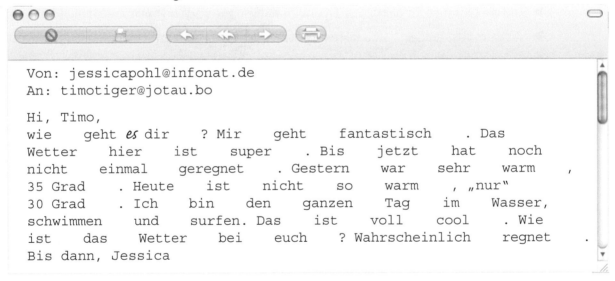

```
Von: jessicapohl@infonat.de
An: timotiger@jotau.bo

Hi, Timo,
wie   geht es dir  ? Mir   geht   fantastisch  . Das
Wetter   hier   ist   super  . Bis   jetzt   hat   noch
nicht  einmal  geregnet  . Gestern  war  sehr  warm  ,
35 Grad  . Heute  ist  nicht  so  warm  , „nur"
30 Grad  . Ich  bin  den  ganzen  Tag  im  Wasser,
schwimmen  und  surfen. Das  ist  voll  cool  . Wie
ist  das  Wetter  bei  euch  ? Wahrscheinlich  regnet  .
Bis dann, Jessica
```

CD 4

d Weltwetter – Hör zu und ordne zu.

☐ Australien

☐ Norwegen

☐ Kenia

☐ Deutschland

☐ Antarktis

e Beschreib das Wetter bei euch, gestern und heute.

regnen • schneien • scheinen • kalt/warm/heiß

Heute regnet es, gestern hat es auch/nicht … Es ist …

5 **Deine Ferien**

Schreib einen Bericht über deine Ferien oder erfinde einen Bericht über deine Traumferien.
Du kannst auch Fotos dazu zeigen und sie beschreiben.

Ich bin mit … nach … gefahren/geflogen.

Ich war … Tage/Wochen in … Ich habe … gesehen. Ich habe viel … Das war …

Wir hatten Glück/Pech mit … Es hat immer/manchmal/nie … Nächstes Jahr …

6 **Mein erster Viertausender: Der Mönch**

**a Zusammengesetzte Nomen – Diese Wörter sind im Lehrbuch auf Seite 8/9.
Setze sie zusammen und ergänze den Artikel.**

Abend • Bahn • Berg • Berg • Berg •   essen • führer • gruppe • gast •

Camping • Hütten • Jugend   haus • hof • platz • tour • wirt

die Zahnradbahn

CD 5   **b Hör die Wörter und markiere den Wortakzent.**

c Ergänze die Partizipien.

fahren • laufen • begrüßen • schlafen gehen • losgehen • zurückgehen • treffen • erzählen •
Musik machen • tanzen

1. Am ersten Tag sind sie erst vom Bahnhof Grindelwald zum Jungfraujoch ……………………… .

2. Am zweiten Tag sind sie morgens …… ……………… .

3. Auf dem Campingplatz haben sie eine andere Jugendgruppe …………………………… .

4. Dann sind sie 45 Minuten zur Mönchsjochhütte ……………………… .

5. Dann sind sie wieder ins Tal …………………………… .

6. Der Hüttenwirt hat sie ………………………… .

7. Nach drei Stunden waren sie auf dem Gipfel vom Mönch.

8. Sie haben gegessen und sind dann früh ……………………… ………………………… .

9. Sie haben viel ………………………, ……………………… ……………………… und ……………………… .

1o. Sie hatten einen tollen Blick.

d Ordne die Sätze und schreib die Zusammenfassung ins Heft.

1				2				9

7

CD 6

Phonetik: Wortakzent bei Verben mit Vorsilben
Hör zu, markiere den Wortakzent und schreib einen Satz.

aufstehen • verraten • mitnehmen • vergessen •
bezahlen • abholen • einkaufen • verlieren

Ich stehe nicht gerne früh auf.

8

Partizipien
Schreib die Verben in die Tabelle.

~~machen~~ • ~~mitmachen~~ • spielen • ~~nehmen~~ • *mit*spielen • besichtigen • schreiben • ~~passieren~~ • ~~verraten~~ •
*auf*schreiben, *be*schreiben • *auf*passen • ankommen • ~~mitnehmen~~

ge...	...ge...	ver-, er-, be- und -ieren: kein ge- notieren.
machen – gemacht	mitmachen – mitgemacht	passieren – passiert
nehmen – genommen	mitnehmen – mitgenommen	verraten – verraten

9

CD 7

Hören üben
Hör zu, sprich nach und schreib das Verb in die richtige Gruppe.

Gruppe 1	Gruppe 2
● • • (•)	• ● (•)
....	*verstehen*
....	....
....	....
....	....

10

CD 8

Das Haus in der Schlossstraße 110 – Alle sind wieder zu Hause.
Sieh auf das Bild im Lehrbuch S. 11 und hör zu. Wo wohnen die Personen? Schreib die Nummer vom Dialog.

☐ im Erdgeschoss

☐ im ersten Stock

☐ im zweiten Stock

☐ im dritten Stock

Leseecke

In einer deutschen Jugendzeitschrift findest du diesen Artikel.

Waldläufer an der Schwarzwasserbrücke

Eine Woche Ferien in der Natur, an der Schwarzwasserbrücke in der Schweiz, da kann man viel lernen. Wie ist die Nacht im Wald? Wie lebt ein Biber? Wo baut der Eisvogel sein Nest? Man kann viele Tiere sehen und hören und man kann viel über Pflanzen lernen. Wie alt ist ein Baum und welche Pflanzen können heilen?

Es war ein besonderes Abenteuer. Zwölf Jungen und fünf Mädchen im Alter von 14 bis 17 Jahren und zwei erwachsene Begleiter haben ungewöhnliche Ferien an der Schwarzwasserbrücke verbracht. Eine Woche lang haben sie zusammen Tag und Nacht in der Natur gelebt, ohne Haus und ohne Zelt. Sie haben ihr Leben gemeinsam organisiert. Wer kocht das Essen? Wann wollen wir essen? Wo schlafen wir? Wollen wir weitergehen oder hierbleiben? Wann wollen wir unsere Freizeit genießen? Diese Fragen hat die Gruppe jeden Tag zusammen diskutiert und entschieden. Alle haben mitgemacht. Jeder hat auch einmal am Feuer gekocht. Jeden Tag hatten drei Jugendliche Kochdienst. Manchmal hat es „interessant" geschmeckt.

Es war eine schöne, aber auch anstrengende Woche und fast alle Jugendlichen möchten nächstes Jahr wiederkommen.

Antworte auf die Fragen 1–4 mit wenigen Wörtern.

Beispiel: Wo waren die Jugendlichen? *In der Schweiz.*

1. Wie viele Jugendliche waren in der Gruppe?

....

2. Wie lange hat die Freizeit gedauert?

....

3. Wer hat den Tagesplan gemacht?

....

4. Wer hat das Essen gekocht?

....

Meine Ecke

Schweizer Wörter

a   Welche Wörter passen zusammen?

chrampfe	→ Katze
Tescht	Das macht Spaß.
Auf Wiederluege	Test
Töff	Müsli
Das fägt.	hart arbeiten
Müesli	Motorrad
Büsi ←	Auf Wiedersehen

CD 9   **b   Hör die Dialoge und kontrolliere.**

Mach die Übungen. Kontrolliere auf Seite 79 und notiere:

☺ (das kann ich sehr gut) oder 😐 (es geht) oder ☹ (das muss ich noch üben)

Sagen, wie die Ferien waren – Ergänze die Adjektive.

☺☺☺ Meine Ferien waren ....!

Da war... was los.

☺☺ Meine Ferien waren ....

Das Wetter war ....

☹ Meine Ferien waren ....!

Es war ....

☹☹ Meine Ferien waren ....!

Es war.............................. und hat geregnet.

schrecklich
wunderbar
gigantisch
blöd
richtig
schön
langweilig
kalt

Von Ferienerlebnissen erzählen – Ordne den Text und schreib ihn ins Heft.

1. und nachmittags haben wir Ausflüge gemacht.
2. Am letzten Tag habe ich ein Mädchen aus Bielefeld kennengelernt.
3. In den Ferien war ich an der Ostsee.
4. Wir waren jeden Vormittag im Meer schwimmen
5. Nächstes Wochenende will ich sie besuchen.

Über die Vergangenheit sprechen (4) – Schreib die Sätze in der Vergangenheit.

1. tanzen / ich / den ganzen Abend / . ...

2. ich / sein / mit Freunden / in Spanien / . ...

3. am zweiten Abend / treffen / ich / Susanne / . ...

Über das Wetter sprechen – Welche Sätze passen zusammen?

1. Wir hatten total Pech mit dem Wetter.
2. Ich hatte Glück mit dem Wetter.
3. Das Wetter war schön,
4. Wir konnten nicht Schi fahren,

a) weil es so stark geschneit hat.
b) aber wir hatten wenig Schnee.
c) Nur an einem Tag war es nicht gut.
d) Es war immer kalt und hat geregnet.

CD 10

Einen Wetterbericht verstehen – Wie wird das Wetter in Hamburg? Kreuze an.

1. vormittags nachmittags   2. vormittags nachmittags   3. vormittags nachmittags

Landeskunde Schweiz – Was stimmt? Markiere.

Die Schweiz hat über **70/7** Millionen Einwohner, liegt **am Meer / in den Bergen**
und die Hauptstadt heißt **Basel/Bern**.

■ Seite 5 ■ ■ ■

die Ferien (nur Pl.) ....

das Wetter (nur Sg.) ....

der Norden (nur Sg.) ....

der Osten (nur Sg.) ....

der Süden (nur Sg.) ....

der Westen (nur Sg.) ....

■ Seite 6 ■ ■ ■

gigantisch ....

nichts los ....

deprimiert ....

• Da ist richtig was los. ....

schrecklich ....

nervig ....

wunderbar ....

übernachten ....

wahrscheinlich ....

■ Seite 7 ■ ■ ■

scheußlich ....

das Klima, -s ....

kalt ....

warm ....

der Regen (nur Sg.) ....

regnen

• Es regnet. ....

scheinen, scheint, ...
  geschienen

• Es ist heiß. ....

der Schnee (nur Sg.) ....

schneien

• Es schneit. ....

• Es ist kalt. ....

trocken ....

das Glück (nur Sg.) ....

das Pech (nur Sg.) ....

■ Seite 8 ■ ■ ■

der Treffpunkt, -e ....

pünktlich ....

hinauf ....

das Eis (nur Sg.) ....

ankommen, kommt an, ...
  ist angekommen

fantastisch ....

steigen, steigt, ist gestiegen ....

das Gasthaus, "-er ....

trinken, trinkt, getrunken ....

begrüßen, begrüßt, ...
  begrüßt

alles ....

danach ....

aufbleiben, bleibt auf, ...
  ist aufgeblieben

■ Seite 9 ■ ■ ■

einpacken ....

losgehen, geht los, ...
  ist losgegangen

passieren, passiert, ...
  ist passiert

hinfallen, fällt hin, ...
  ist hingefallen

wehtun, tut weh, ...
  wehgetan

die Idee, -n ....

weitergehen, geht weiter, ...
  ist weitergegangen

der Wunsch, "-e ....

die Ahnung (nur Sg.) ....

verraten, verrät, verraten ....

das Tal, "-er ....

der Campingplatz, "-e ....

die Jugendgruppe, -n ....

die Absicht, -en ....

• mit Absicht ....

die Bergtour, -en ....

■ Seite 10 ■ ■ ■

der Rhythmus, Rhythmen ....

aufpassen ....

■ Seite 11 ■ ■ ■

das Erdgeschoss (nur Sg.) ....

....

....

....

....

....

....

....

....

1 **Träume**

a Was passt?

A̶r̶z̶t̶i̶n̶ • berühmt • Schauspieler • glücklich • e̶i̶n̶e̶n̶ ̶g̶u̶t̶e̶n̶ ̶B̶e̶r̶u̶f̶ • Pilotin • Profisportler • reich • viele Tiere • eine Villa • viele Kinder

haben	werden
einen guten Beruf	*Ärztin*

CD 11 **b Hör zur Kontrolle und sprich nach.**

c Schreib einen Satz über dich.

Ich möchte .... werden und .... haben.

2 **Ich glaube, dass ...**

a Ordne die Sätze und schreib sie in die Tabelle.

Ich glaube, dass ...

1. Eva / Jahre / ist / 16 / alt / .
2. Eva / hat / noch keinen / Freund / .
3. gerne / Eva / lernt / .
4. ist / sie / gut in der Schule / .
5. jetzt nicht so viel Geld / hat / Olli / .
6. möchte / Olli / nicht viel arbeiten / .
7. kann / Olli / gut singen / .
8. seine Pläne / muss / Olli / noch ändern / .

	Konjunktion		Ende: konjugiertes Verb
Ich glaube,	*dass*	*Eva 16 Jahre alt*	*ist.*

CD 12 **b Hör die Sätze und kontrolliere.**

  c Schreib noch zwei oder drei Sätze über dich.

Ich glaube, dass ich ...

3 Und dein Traum?

Was möchtest du *sein* und *haben*? – Schreib Fragen und beantworte sie für dich.

einen guten Beruf haben •
viel Geld verdienen •
nicht viel arbeiten müssen •
Sänger/in sein und berühmt werden

Möchtest du in 10 Jahren einen guten Beruf haben?
Ja, natürlich, ich möchte Manager werden.

4 Berufe

a Was passt zusammen? Ordne zu.

1. Eine Architektin ...
2. Eine Polizistin ...
3. Eine Tierärztin ...
4. Eine Krankenschwester ...
5. Eine Verkäuferin ...
6. Ein Automechaniker ...
7. Ein Manager ...
8. Ein Elektriker ...
9. Ein Tennisspieler ...
10. Ein Koch ...
11. Ein Arzt ...

a) gibt Essen und Medikamente.
b) kontrolliert die Autofahrer.
c) operiert kranke Tiere.
d) plant Häuser und kontrolliert die Arbeiter.
e) verkauft Kleidung.
f) leitet eine Firma.
g) macht Essen in einem Restaurant.
h) operiert Menschen.
i) repariert Autos.
j) repariert Lampen.
k) trainiert und macht Wettkämpfe.

b Männer und Frauen – Schreib die andere Form zu den Berufen in a.

die Architektin – der Architekt
der Automechaniker – die Automechanikerin
die Krankenschwester – der Krankenpfleger

c Schreib die Gegenteile. Die Wörter rechts helfen.

reisen	*zu Hause bleiben*
drinnen arbeiten	....
mit Menschen zusammen sein	....
viel Freizeit haben	....
leichte Arbeit	....
viel mit Technik arbeiten	....
viel Geld verdienen	....
	....

allein
schwere
draußen
bleiben ✓
wenig

5 Phonetik: *r*

CD 13

Hör zu und sprich nach. Wo hörst du ein *r*? Markiere und lies die Wörter laut.

korrigieren   erzählen   verdienen   reparieren   vorlesen   Interviews machen

Erzieher   Kameramann   Sekretärin   Touristikkauffrau   Friseur

6 CD 14 **Ratespiel – Welcher Beruf ist das?**
Hör zu und ordne zu.

Ingenieur/in

Polizist/in

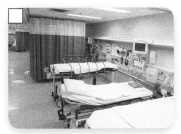
Krankenpfleger/Krankenschwester

7 **Wünsche begründen: *weil***
Schreib die Sätze. Markiere die Konjunktion und das konjugierte Verb im Nebensatz.

Ich möchte den Film nicht sehen:	Ich finde ihn langweilig.
Ich möchte Computer spielen:	Das macht Spaß.
Ich möchte jetzt keine Bratwurst:	Ich habe keinen Hunger.
Ich möchte keinen Salat:	Ich mag Salat nicht.
Ich möchte schlafen:	Ich bin müde.
Ich möchte morgen erst um zehn aufstehen:	Ich habe keine Schule.

Ich möchte den Film nicht sehen, weil ich ihn langweilig finde.

8 **Hören üben**

CD 15 **a** Kommt noch ein Nebensatz oder ist der Satz zu Ende?
Hör zu und ergänze ein Komma oder einen Punkt.

Beispiel 1:
Sie möchte Popsängerin werden.
Beispiel 2:
Er möchte Manager werden, …

3. Er möchte Arzt werden
4. Sie möchte Pilotin werden
5. Ich wollte ein Praktikum bei meinem Onkel machen
6. Ich möchte nicht Hausfrau werden
7. Sie möchten Gärtner werden

CD 16 **b** Hör noch einmal und kontrolliere.

9 **Betriebspraktikum – einen Job suchen**
Lies die Anzeige und beantworte die drei Fragen.
Markiere die richtige Antwort mit einem Kreuz.

1. Warum braucht die Familie einen „Hundesitter"?
☐ Sie haben nicht genug Zeit.
☐ Sie gehen nicht gerne spazieren.
☐ Bello braucht einen anderen Hund.

2. Was muss der Hundesitter machen?
☐ Er muss einen anderen Hund mitbringen.
☐ Er muss mit Bello spazieren gehen.
☐ Er muss vorsichtig sein. Bello ist manchmal aggressiv.

3. Wann soll der Hundesitter kommen?
☐ Am Wochenende von 3 bis 5 Uhr.
☐ Montags bis freitags, manchmal auch am Wochenende.
☐ Montags bis freitags den ganzen Tag.

Magst du Hunde?
Gehst du gerne spazieren und bist du zuverlässig?

Hundesitter gesucht

Unser Bello ist lieb und verspielt. Leider ist er viel allein und langweilt sich, denn wir arbeiten sehr viel und können uns nicht genug um ihn kümmern, wir haben zu wenig Zeit. Hast du Lust, nachmittags mit ihm zu spielen und spazieren zu gehen? Du kannst auch einen anderen Hund mitbringen. Bello mag andere Hunde, wenn sie nicht aggressiv sind. Bello braucht dich von Montag bis Freitag, zwischen 15 und 17 Uhr. Vielleicht ist es auch möglich, dass Bello manchmal am Wochenende zu dir kommt? Wir können ihn nicht gut mitnehmen, wenn wir wegfahren, weil er nicht gerne Auto fährt. Du bekommst für jedes Mal 5 €, am Wochenende, wenn er den ganzen Tag bei dir bleibt, 20 €.

Vorstellung des Betriebspraktikums

a Ergänze die Tabelle.

	Präsens	Präteritum	Präsens	Präteritum	Präsens	Präteritum
ich/er/es/sie/man	*muss*		kann	konn…	will	woll…
du		musstest		konnt…		wolltest
wir/sie/Sie		muss…		konnt…		wollt…
ihr		musstet		konntet		wolltet

b Ergänze die Modalverben im Präsens oder Präteritum.

1. K ………… ihr heute kommen? – Ja, heute geht es, gestern k………… wir leider nicht.

2. Letzte Woche m……………… ich nicht früh aufstehen. Jetzt m…………. ich wieder um 6 aufstehen.

3. Warum w………… du gestern nicht mitkommen? – Das ist doch egal. Jetzt w……… ich.

c Ergänze den Text.

willst • will • konnte • musste • musste • ~~wollte~~ • musste •
kannst • musste • will • konnte

Ich heiße Linda Jin. Ich lese gerne Bücher, deshalb
……*wollte*……… ich mein Praktikum in einer Bibliothek
machen. Ich habe bei uns in der Stadtbibliothek gefragt. Ich …………………… eine Bewerbung schreiben
und zu einem Vorstellungsgespräch kommen. „Warum
………………… du in einer Bibliothek arbeiten? Liest du
gerne? ………………… du gut am Computer arbeiten?"
Ich ………………… viele Fragen beantworten. Dann haben
sie mich genommen. Ich ………………… jeden Morgen um
9 Uhr anfangen und ………………… um 3 Uhr nach Hause
gehen. Am Anfang war es interessant und spannend. Jeden
Tag ………………… ich etwas Neues machen. Aber in der

dritten Woche war es immer noch das Gleiche. Ich ………………… immer noch Bücher sortieren. Das war

langweilig. Ich ………………… später nicht in einer Bibliothek arbeiten. Immer wieder Bücher einsortieren,

immer wieder ausleihen, nein, das ist mir zu langweilig. Ich ………………… immer etwas Neues machen.

**d Hast du schon mal gearbeitet? Praktikum, Ferienjob, in der Familie?
Schreib einen kurzen Bericht.**

Ich wollte …
Ich habe ein Praktikum bei … gemacht.
Ich habe bei … gearbeitet.

Das hat (keinen) Spaß gemacht, weil …
Es war langweilig/interessant, weil …
Ich musste …
Ich konnte …

11

CD 17

Stress – Verabredungen machen

Ordne den Dialog und hör zur Kontrolle.

☐ Das finde ich interessant. Sollen wir einmal hingehen?

☐ Ein Jugendzentrum, wo denn?

☐ Einverstanden, ich rufe dich an.

☐ Es ist ganz in der Nähe von der Schule.

☐ Und was gibt es da?

☐ Ich habe etwas Interessantes gelesen. Es gibt ein neues Jugendzentrum.

☐ Ich weiß nicht. Musik, Tischtennis und so, am Wochenende vielleicht Disco.

☐ Ja, ich habe auch Lust. Heute Nachmittag?

12

Pläne machen

Mach das Kreuzworträtsel und ergänze das Lösungswort.

1. Am Ende vom Schuljahr bekommen die Schüler ein … mit vielen Nr. 2.
2. Schüler bekommen … . In Deutschland sind das Zahlen von 1 bis 6. Sie sind sehr wichtig.
3. Du hast viel Arbeit. Du musst viel machen, aber du hast keine Zeit. Dann hast du … .
4. Was kannst du schon? Was musst du … machen?
5. Manchmal ist dein Zimmer (oder dein Leben) sehr unordentlich, dann ist … im Zimmer (im Leben).
6. Schüler müssen viele Tests schreiben. In Deutschland heißt das … und in Österreich „Schularbeit".
7. Das Gegenteil von „suchen" ist … .
8. Du kannst etwas nicht allein? Dann such dir … .
9. Mein letztes Ziel war die Mathearbeit, mein … Ziel ist der Triathlon.

1.
2.
3.
4.
5.
6.
7.
8.
9.

Ich habe es ⎢_⎢_⎢_⎢_⎢_⎢_⎢_⎢_⎢_⎢_⎢!

13

Lerntipps

Was passt zusammen? Schreib Sätze im Imperativ. Du kannst sie alle auf den Seiten 14 bis 16 finden. Es gibt verschiedene Möglichkeiten.

schreiben	schreiben	lesen	ergänzen		Sätze im Imperativ	einen kurzen Bericht
machen	markieren				die Anzeige	die Tabelle
					das Kreuzworträtsel	die richtige Antwort

Schreib Sätze im Imperativ.

Hörstudio – Ein Bewerbungsgespräch für ein Praktikum

CD 18   a   Hör zu und entscheide: Welche Zeichnung passt zu dem Gespräch?

CD 19   b   Deine Meinung: Wie endet das Gespräch? Wie in A oder in B? Warum? Hör zu und vergleiche.

A   Herr Schmidt: Danke, ich glaube, das ist genug. Wir haben leider keinen Praktikumsplatz für Sie.
Tobias Müller: Och, schade, schon wieder hat es nicht geklappt. Warum bloß nicht?

B   Herr Schmidt: Wunderbar, Sie können gut mit dem Computer arbeiten. Wir brauchen Sie. Können Sie morgen sofort anfangen?
Tobias Müller: Ja, gerne. Ich danke Ihnen, Herr Schmidt.

Meine Ecke – Wörterschlangen machen

a   Schreib Wörter. Das zweite Wort beginnt mit dem letzten Buchstaben vom ersten Wort usw. Wie lang wird deine Schlange?

b   Spielt in der Klasse und sprecht die Wörter.

Plan Name Elektriker Rucksack Kartoffel Lehrer R...

Freundschaft
Termin
Note
E ... äh ... Eltern

Mach die Übungen. Kontrolliere auf Seite 79 und notiere:
😊 (das kann ich sehr gut) oder 😐 (es geht) oder 😟 (das muss ich noch üben)

Hoffnungen und Wünsche äußern – Was passt zusammen?   😊 😐 😟

1. Nach der Schule ...... a) möchte ich heiraten und Kinder haben.
2. Ich hoffe, ... b) dass ich einen gut Job bekomme.
3. Ich möchte später viel reisen ...... c) eine Villa mit Schwimmbad.
4. Mein Traum ist ...... d) möchte ich studieren.
5. Nach ein paar Jahren im Beruf ...... e) und fremde Länder kennenlernen.

Über Berufe sprechen – Schreib je drei Tätigkeiten zu den Berufen.   😊 😐 😟

Briefe schreiben – Interviews machen – Tests korrigieren – Termine planen –
Artikel schreiben – viel telefonieren – Regeln erklären – unterrichten – viel reisen

1. Lehrerin: ....
2. Journalist: ....
3. Sekretärin: ....

Etwas berichten – Schreib Sätze wie im Beispiel ins Heft.   😊 😐 😟

Ute / sagen: Ich möchte drei Kinder haben. *Ute sagt, dass sie drei Kinder haben möchte.*

1. Ute / meinen: Ich mag Kinder sehr. ....
2. Sergio / sagen: Ich möchte Musiker werden. ....
3. Sergio / hoffen: Ich verdiene viel Geld. ....
4. Sara / sagen: Ich will Journalistin werden. ....
5. Sara / glauben: Ich kann Menschen helfen. ....

Etwas begründen – Schreib die Begründung mit *weil*.   😊 😐 😟

Ich möchte nicht Gärtner werden, *weil ich keine Blumen mag.*
mögen / keine Blumen / ich / .
1. Rita möchte Sekretärin werden, ...
   sie / organisieren / gerne / .
2. Wir möchten Biologie studieren, ...
   werden / wollen / Lehrer / wir / .
3. Oskar will Politiker werden, ...
   er / gut organisieren / können / .

Über die Vergangenheit sprechen (5) – Ergänze.   😊 😐 😟

1. Heute will ich Lehrer werden, aber früher .... (wollen) ich Pilot werden.
2. Gestern wollten wir ins Kino, aber wir .... (müssen) für die Bio-Arbeit lernen.
3. Rita .... (können) leider letzte Woche nicht mit uns ins Schwimmbad, weil sie krank war.

CD 20

Einen Bericht verstehen – Welche Aussage ist richtig?   😊 😐 😟

1. Jeff musste viel arbeiten, er hat viel gelernt und er möchte Kindergärtner werden.
2. Jeff hat viel gearbeitet und es war interessant, aber er möchte nicht mit vielen Menschen arbeiten.

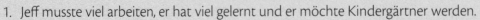

■ Seite 13 ■ ■ ■
der Plan, "-e ....
hoffen ....
glücklich ....
werden, wird, ist geworden ....
weil ....
helfen, hilft, geholfen ....

■ Seite 14 ■ ■ ■
reich ....
• reich werden ....
berühmt ....
das Ausland (nur Sg.) ....
der/die Profisportler/in, ...
  -/nen ....
der/die Schauspieler/in, ...
  -/nen ....
das Reisen (nur Sg.) ....
die Fremdsprache, -n ....
der Mond, -e ....
der/die Popsänger/in, ...
  -/nen ....
reisen, reist, ist gereist ....

■ Seite 15 ■ ■ ■
der/die Erzieher/in, -/-nen ....
der/die Journalist/in, ...
  -en/-nen ....
der Touristikkaufmann, ...
  -leute ....
die Touristikkauffrau, -en ....
der/die Gärtner/in, -/-nen ....
der/die Zahnarzt/-ärztin, ...
  -ärzte/-nen ....
der/die Friseur/in, -e/nen ....
der/die Sekretär/in, ...
  -e/-nen ....
der Zahn, "-e ....
erklären, erklärt, erklärt ....
die Operation, -en ....
drinnen ....
die Technik (nur Sg.) ....
die Arbeit, -en ....
leicht ....
filmen ....
die Hausfrau, -en ....
der Chef, -s ....
die Chefin, -nen ....

■ Seite 16 ■ ■ ■
das Praktikum, Praktika ....
herzlich ....
• Herzlich willkommen! ....
der Betrieb, -e ....
zuschauen ....
mitarbeiten ....

■ Seite 17 ■ ■ ■
allein ....
sauber machen ....
der Schalter, - ....
legen ....
die Lehre, -n ....
die Krankengymnastin, ...
  -nen ....
praktisch ....

■ Seite 18 ■ ■ ■
die Klassenarbeit, -en ....
die Präsentation, -en ....
der Kilometer, - ....
Rad fahren, fährt Rad, ...
  ist Rad gefahren ....
das Ziel, -e ....
die Priorität, -en ....
die Hilfe, -n ....

■ Seite 19 ■ ■ ■
die Deutschnote, -n ....
das Beispiel, -e ....
der Platz, "-e ....
der Ratschlag, "-e ....
kaputt ....

....
....
....
....
....
....
....
....
....
....

1

CD 21

Bilder und Dialoge

Ergänze die Dialoge. Hör zur Kontrolle.

kann • mir • ihr • schwer • bei dir • schwerer • dass • muss • Hilfst … mir

Dialog 1

▶ Hi, Sophie, wie geht's?

▷ Alles o.k., und ...., Tim?

▶ Die Deutscharbeit war total ....

▶ Ja, viel .... als die letzte.

▷ Findet ....? Ich finde, ...

    sie leichter war.

▶ Du bist aber auch gut in Deutsch, Alina.

▶ Kannst du .... in Deutsch helfen?

    Ich .... unbedingt eine Drei schreiben.

▷ Ich .... es versuchen. ....

    du .... dann in Mathe, Elias?

▶ Na klar. Ich helfe dir gern.

CD 22

Dialog 2

weil • bin • bist • hilft mir • kommst • habe • hier • muss

▷ Alina, ... ist Sophie, wo .... du? Warum .... du nicht?

▶ Ich .... zu Hause. Ich .... lernen, ... ich in Mathe

    eine Fünf geschrieben ....

▶ Allein?

▷ Nein, Elias kommt gleich und .... in Mathe.

▶ Elias, ach so – Mathe – ich verstehe – o.k.

2

CD 23

Freunde und Freundinnen

Du hörst zwei Dialoge. Markiere: richtig oder falsch?

Dialog 1

1. Alina hat eine Mathearbeit geschrieben. ☐r ☐f
2. Sie findet die Note gut. ☐r ☐f
3. Ihre Mutter sagt, dass Alina üben muss. ☐r ☐f
4. Alina will jeden Tag üben. ☐r ☐f
5. Alina will mit Elias lernen. ☐r ☐f

Dialog 2

1. David hat Probleme in Englisch. ☐r ☐f
2. Davids Computer ist kaputt. ☐r ☐f
3. Mario will David nicht helfen. ☐r ☐f
4. Mario kann nicht gleich zu David gehen. ☐r ☐f
5. Marios Mutter hilft ihm in Englisch. ☐r ☐f

3 CD 24

Hören üben – Verstärkungswörter

Hör zu und sprich nach.

Das ist total …   Die Mathearbeit war sehr …   Ich will unbedingt …

4   **Pronomen im Dativ**

a **Personalpronomen im Nominativ, Akkusativ, Dativ. Ergänze die Tabelle.**

Nominativ	Akkusativ	Dativ
	Ich kenne …	Ich helfe …
ich	*mich*	
		dir
er		
		ihm
	sie	
wir		
		euch
	sie/Sie	

b **Ergänze die Verben *helfen, geben, schmecken* und die Pronomen im Dativ.**

▶ .....*Hilfst*..... du .... in Bio?

▷ Na klar. Kannst du ....
   dann Mathe erklären?

▶ Alina hat ihr Mathebuch nicht dabei. ....
   du .... dein Buch?

▷ Ich .... gern in Mathe, aber ihr Buch
   muss sie mitbringen!

▶ Wie ....
   die Nudeln, ihr zwei?

▷ Die Nudeln ....
   sehr gut. Wir lieben Nudeln.

▶ Rikes Fahrrad ist kaputt. Kannst du
   .... dein Fahrrad ....?

▷ Wieso? Sie .... ihr
   Fahrrad auch nie.

Freundschaft

5

CD 25

Phonetik: *h*

Welches Wort hörst du?

hier – ihr • hin(fallen) – in • heiß – Eis • Hund – und • Haus – aus • Handy – Andy

6

Eigenschaften

a Lies die Sätze. Welches Adjektiv passt nicht? Markiere. Kontrolliere mit dem Wörterbuch.

1. Ich mag mein Zimmer. Es ist groß und ich finde es sehr gemütlich/schön/sympathisch/spannend. ✓

2. Meine Oma ist schon 75. Aber sie ist noch sehr langweilig/sportlich/schön/fleißig.

3. Mein Lieblingsbuch ist sehr romantisch/spannend/froh/lustig.

4. Meine beste Freundin ist ehrlich/dumm/romantisch/reich.

5. Ich habe eine Katze. Sie ist sehr klein/klug/lustig/pessimistisch.

6. Ich lese gerade ein Buch. Es ist sehr zuverlässig/traurig/spannend/langweilig.

b Viele Adjektive enden auf *-lich, -ig, -isch* – Finde sie in der Liste im Lehrbuch und notiere sie.

-lich *ehrlich,* ....

-ig ....

-isch ....

c *Un-* – Viele Adjektive bilden ihr Gegenteil mit *un-*. Aber nicht alle!

Gegenteil = anderes Wort	Gegenteil mit un-
alt – jung	ehrlich – unehrlich
faul –	freundlich –

7

Wie ist ein guter Freund / eine gute Freundin und wie nicht?

a Was ist deine Meinung? Schreib Sätze wie im Beispiel.

1. Meine Freundin muss groß sein.

Ich finde wichtig, dass	*Ich finde nicht wichtig, dass*
meine Freundin groß ist.	*meine Freundin groß ist.*

2. Mein Freund / Meine Freundin muss romantisch sein.

3. Mein Freund / Meine Freundin muss sportlich sein.

4. Mein Freund / Meine Freundin muss ordentlich sein.

5. Mein Freund / Meine Freundin muss ehrlich sein.

6. Mein Freund / Meine Freundin muss immer lustig sein.

b Wichtig / nicht wichtig? Schreib noch drei Aussagen über Freunde.

8

CD 26

Komparative

a Ergänze die Umlaute, wo das notwendig ist. Hör zur Kontrolle und sprich nach.

älter – normaler – armer – vorsichtiger – dummer – ehrlicher – großer – treuer –

kluger – lustiger – junger – sportlicher

b Ergänze die drei unregelmäßigen Formen.

gut .... gern .... viel ....

9

Vergleiche

Was passt zusammen? Ordne zu.

1. Fabian ist genauso
2. Elias und Alina sind
3. Ich finde den Kunstunterricht
4. Jim ist älter
5. Lukas ist nicht
6. Mathe ist interessanter

a) als Deutsch.
b) als Joe.
c) alt wie Sandra.
d) besser als den Musikunterricht.
e) gleich alt.
f) so nervös wie Jim.

10

Vergleiche in der Schule

Schreib Vergleiche wie im Beispiel.

Tom ist genauso alt wie Tim.

....

....

....

....

....

....

....

....

....

Tom 16 Jahre, 1,80 m, 65 kg,
Mathe: 3
Tim 16 Jahre, 1,75 m, 68 kg,
Mathe: 3

Lisa 15 Jahre, 1,70 m, 53 kg,
Deutsch: 2
Lena 14 Jahre, 1,60 m, 51 kg,
Deutsch: 4

11 **Zur Freundschaft gehören Komplimente**

a **Was passt zusammen? Ordne zu.**

1. Du siehst ganz anders aus. .... a) Deine Haare sehen toll aus.
2. Wie lange lernst du schon Gitarre? .... b) Die sehen super aus.
3. Kannst du mir deinen Frisör sagen? .... c) Du bist so braun.
4. Vielen Dank, dass du mir Mathe erklärst. .... d) Du verstehst das alles so schnell.
5. Warst du in den Ferien im Süden? .... e) Ich finde, dass du ganz toll spielst.
6. Wo hast du deine Jeans gekauft? .... f) Hast du eine neue Frisur?

CD 27 **b** **Hör die Komplimente und sprich nach.**

12 **Die Komplimentmaschine**

a **Sieh dir die Bilder an. Welche Komplimente passen dazu? Schreib je ein Kompliment. Vergleicht in der Klasse.**

....
....

 b **Schreib je ein Kompliment für jemand aus deiner Familie, einen Freund oder eine Freundin.**

13 **Chat zum Thema „Freundschaft" – Rechtschreibtraining**

In dem Text sind 10 Fehler: 5 Nomen (groß/klein), 5 Verben an der falschen Stelle.

Silke, 14: Freundschaft heißt, dass man zusammen hat Spaß und probleme löst. Man muss zuhören können. Hast geredet du mit ihm? Das hilft. Ich weiß, dass Jungs nicht so gerne viel reden. Vielleicht
hast du eine gute freundin und kannst mit ihr sprechen.

Jan, 13: So ein quatsch! Jungs können viel besser helfen. Vielleicht anders als mädchen. Ich seit fünf jahren
drei Freunde habe. Sie sind mir treu und mir immer helfen. … Mit meinen Freunden kann ich alles
machen. Du hast bestimmt noch andere Freunde. Was die sagen? Rede mit ihnen.

Leseecke

CD 28

a Lies und hör das Gedicht und bring die Bilder in die richtige Reihenfolge.

Zwei Freunde

Zwei Freunde,
sie hatten sich lange nicht gesehen,
trafen sich auf einer Rolltreppe wieder.
Sie freuten sich ehrlich
und blieben stehen.
Doch ihr Wiedersehen war kurz und knapp,
denn der eine fuhr hinauf
und der andere fuhr hinab.

Quelle: Hans Manz

b Welche Wörter aus dem Text passen zu diesen Erklärungen?

1. dauerte nur wenige Sekunden
2. nach oben / nach unten
3. sie haben sich wiedergesehen

c Sie treffen sich doch noch in der Cafeteria vom Kaufhaus. Wie beginnt ihr Gespräch? Schreib den Dialoganfang. Vergleicht in der Klasse.

Meine Ecke

a Worte zur Freundschaft. Verbinde 1–3 und a–c.

1. Freundschaft heißt,
2. Freundschaft kennt
3. Wer den Freund ohne Fehler will,

a) findet keinen.
b) nicht „Bitte" oder „Danke" sagen zu müssen.
c) keine Uhrzeit und sie ist trotzdem pünktlich.

b Kannst du weitere Sprüche zum Thema „Freundschaft" schreiben?

c Gibt es Sprüche in deiner Sprache, die du ins Deutsche übersetzen kannst?

Hier ein Beispiel aus dem Englischen:

A real friend is one who walks in when the rest
of the world walks out.
Ein guter Freund kommt herein, wenn alle anderen
hinausgehen.

Mach die Übungen. Kontrolliere auf Seite 79 und notiere:

😊 (das kann ich sehr gut) oder 😐 (es geht) oder 😟 (das muss ich noch üben)

Über Freundschaft sprechen – Schreib drei Sätze.   😊😐😟

Wie muss dein Freund / deine Freundin sein?

....

....

....

....

....

....

Um Hilfe bitten / Hilfe anbieten – Ergänze *helfen* und die Pronomen im Dativ.   😊😐😟

▶ Rolf, kannst du _*mir*_ h....................?

　▶ Klar h.................... ich .... Was ist das Problem?

　　▶ Tanja und ich müssen einen Aufsatz schreiben und .... beiden fällt nichts ein.

　▶ Ich h.................... .... beiden gern. H.................... du ....

dann morgen in Mathe?

▶ Klar, kein Problem.

Eigenschaften benennen und vergleichen – Schreib die Vergleiche für dich.   😊😐😟

als – genauso ... wie – nicht so ... wie

1. (groß) Mein Freund / Meine Freundin ist .... ich.

2. (sportlich) Er/Sie ist .... ich.

3. (gern) Ich mag Fernsehen .... Kino.

4. (interessant) Ich finde Deutsch .... Mathe.

Komplimente machen – Ordne die Elemente zu.   😊😐😟

1. Dein T-Shirt sieht super aus. 　　　　　...... a) Danke, dass du mir hilfst.

2. Du kannst ja super Deutsch. 　　　　　...... b) Warst du beim Friseur?

3. Du siehst toll aus. 　　　　　　　　　...... c) Ist das neu?

4. Du verstehst Mathe schneller als ich. 　...... d) Hast du einen Sprachkurs gemacht?

CD29

Radiomeldungen – Kreuze die richtige Antwort an.   😊😐😟

Bei Radio „TOTAL" ... 　　　　　　　　　　Der Radiosender plant ein Programm ...

1. gibt es ein Geschenk für die „besten Freunde". 　　1. über gute Komplimente.

2. können nur gute Freunde mitarbeiten. 　　　　　2. über Schönheit und Mode.

3. gibt es keine Freundschaft. 　　　　　　　　　3. über das Thema „Freundschaft oder Liebe".

■ Seite 21 ■ ■ ■

die Freundschaft, -en ....

warum

• Ich habe in Mathe ....
  eine Fünf geschrieben. ....

verstehen, versteht, ...
  verstanden

die Deutscharbeit, -en

dass ....

das Kompliment, -e ....

der Skaterpark, -s

• Ich mag dich sehr. ....

■ Seite 22 ■ ■ ■

diskutieren, diskutiert, ...
  diskutiert

die Note, -n ....

• Alina ist böse. ....

lieben ....

gleich ....

unbedingt ....

■ Seite 23 ■ ■ ■

arm ....

dumm ....

ehrlich ....

egoistisch ....

fleißig ....

hässlich ....

jung ....

optimistisch ....

pessimistisch ....

sportlich ....

tolerant ....

treu ....

ungemütlich ....

unordentlich ....

unsportlich ....

unsympathisch ....

unvorsichtig ....

unzuverlässig ....

vorsichtig ....

zuverlässig ....

■ Seite 24 ■ ■ ■

als ....

sportlich ....

die Popmusik (nur Sg.) ....

die Klassik (nur Sg.) ....

■ Seite 25 ■ ■ ■

das Motorrad, "-er ....

die Frisur, -en ....

reden

• Du hörst dich gern ....
  reden.

nervös ....

■ Seite 26 ■ ■ ■

der Rock, "-e ....

lösen ....

der Quatsch (nur Sg.)

anders ....

andere ....

bestimmt ....

recht haben ....

die Leute (nur Pl.)

• wie man selbst ....

• wichtig nehmen ....

unehrlich ....

....

....

....

....

....

....

....

....

....

....

....

....

....

....

....

....

....

....

....

....

Kleine Pause

LESEN UND VERSTEHEN

1. **Lies die Anzeigen. Zu jedem Text gibt es drei Fragen.**
   Markiere die richtige Antwort mit einem Kreuz.

Für alle Mädchen und Jungs über 13 Jahre

Magst du Babys und Kinder?
Möchtest du dein Geld mit Babysitten verdienen –
ganz ohne Stress und Probleme?
Bei uns bekommst du alle Informationen und Tipps
für den Alltag mit Babys und Kindern.
Besuche unseren **Babysitterkurs**
und du bekommst ein **Babysitterdiplom!**
Nächster Kurs: am Freitag,
den 2.10., von 16.00 bis 19.00 Uhr,
und am Sonnabend, den 3.10.,
von 15.00 bis 18.00 Uhr
Familienzentrum Friedrichstr. 33, Raum 9
Leitung: Marianne Steiner,
Kinderkrankenschwester
Gebühr: 7 Euro,
Anmeldung unter: 99 98 99

Noch 3 Plätze frei!

Anzeige 1

1. Wo und wann findet der Kurs statt?
   - a Am Freitag in der Schule.
   - b Am Samstag im Familienzentrum.
   - c An zwei Tagen im Familienzentrum.

2. Was lernt man im Babysitterkurs?
   - a Was man mit Babys und Kindern machen kann.
   - b Wie man ohne Stress und Probleme leben kann.
   - c Wie man mehr Taschengeld bekommen kann.

3. Was bekommt man am Ende vom Kurs?
   - a Viele Informationen und Tipps.
   - b Mehr Geld für eine Stunde Babysitten.
   - c Ein Papier, dass man den Kurs gemacht hat.

Anzeige 2

1. Für wen ist das Tagespraktikum?
   - a Für alle Jugendliche.
   - b Für Jungen.
   - c Für Mädchen.

2. Was passiert am 26. April?
   - a Alle 5.–10. Klassen machen ein Praktikum.
   - b Die Jungen haben am Boys' Day keinen Unterricht.
   - c 1000 Jungen können „Frauenberufe" testen.

3. Was können die Jungen vielleicht lernen?
   - a Dass es interessante „Frauenberufe" gibt.
   - b Dass man einen Beruf lernen muss.
   - c Dass es 1000 „Frauenberufe" gibt.

Jeder kennt den Girls' Day, aber jetzt –

Jungs, aufgepasst!

Am 26. April ist

Boys' Day!

Schüler von Klasse 5 bis 10 können an diesem Tag
den Alltag in einem „Frauenberuf" kennenlernen.
An der Universität, in Schulen, Kindergärten,
Blumengeschäften, Apotheken, bei Tierärztinnen,
Friseurinnen … gibt es in diesem Jahr 1000 Plätze
für ein „Tagespraktikum".

Welchen Beruf möchtet ihr später lernen?
Wisst ihr das? Können auch sogenannte
„Frauenberufe" für Jungs interessant sein?
Findet es heraus!
Am Boys' Day bekommt ihr viele Informationen, könnt
viel fragen und mit interessanten Leuten sprechen.
An diesem Tag habt ihr natürlich keine Schule.
Weitere Informationen:
Service-Büro NEUE WEGE FÜR JUNGS
unter der Telefonnummer 0521-106 73 60

SCHREIBEN

**2. Du hast das Babysitterdiplom gemacht und suchst einen Job als Babysitter.
Du wohnst in Dortmund-Brackel und liest diese Anzeige in der Zeitung:**

Wir sind eine nette kleine Familie in Dortmund-Brackel
und suchen ab sofort für unseren Daniel (3 Jahre)
einen freundlichen, zuverlässigen Babysitter (weiblich
oder männlich) für 2 Abende in der Woche von 18 bis
21 Uhr. Interesse? Melde dich mal! Wir freuen uns.

Familie Meier – Hermannstr. 58
44263 Dortmund-Brackel
Tel.: (0231) 51 66 89

**3. Antworte auf die Anzeige mit mindestens 50 Wörtern.
Schreib zu jedem Punkt ein bis zwei Sätze.**

1. Stell dich vor (Name, Alter, Klasse).
2. Schreib über den Babysitterjob. (Hast du schon als Babysitter
   gearbeitet? Hast du ein Babysitterdiplom gemacht? Wie bist du:
   kinderlieb, ruhig, zuverlässig …)?
3. Wie oft und wann hast du in der Woche Zeit?
4. Wann und wo kannst du die Familie Meier zum ersten Mal treffen?

Dortmund, …

*Liebe Familie Meier,
…*

HÖREN UND VERSTEHEN

CD 30–31 **4. Hör das ganze Gespräch (Teil A und B). Welcher Titel passt: A oder B?**

A Jungen lesen Kindern vor
**Hör jetzt Teil A noch einmal und notiere
für 1–5 r für richtig oder f für falsch.**

1. Erzieherinnen lesen den Kindern
   im Kindergarten vor.   [r] [f]

2. Es gibt zu viele Männer in den
   Kindergärten.   [r] [f]

3. 14 Jungen nehmen am Projekt
   als Vorleser teil.   [r] [f]

4. Die Vorleser machen am Anfang
   ein Lesetraining.   [r] [f]

5. Man lernt, dass man immer laut
   sprechen muss.   [r] [f]

B Jungen möchten Erzieher werden
**Hör Teil B noch einmal und notiere
für 1–5 r für richtig oder f für falsch.**

1. Philipp liest immer sein
   Lieblingsbuch vor.   [r] [f]

2. Das Vorlesen mit Philipp macht
   den Kindern Spaß.   [r] [f]

3. Alle Kinder passen immer
   gut auf.   [r] [f]

4. Wenn Philipp vorliest, macht
   er oft Pausen.   [r] [f]

5. Philipp will Erzieher werden.   [r] [f]

EINEN TEXT VERSTEHEN UND GRAMMATIK WIEDERHOLEN

5. a Lies den Text „Eine Freundschaft" und entscheide: Dürer oder Knigstein?
Ergänze den richtigen Namen:

1. .... war als Maler berühmt.

2. .... hat in Italien studiert.

3. .... hat schwer gearbeitet.

4. .... hatte nach zwei Jahren kaputte
   Finger von der harten Arbeit.

5. .... hat die Hände von seinem Freund gemalt.

> ### Zur Person
> Albrecht Dürer kommt aus Nürnberg.
> Er war Maler, Grafiker und Mathematiker.
> Er ist in der ganzen Welt berühmt.
> Er hat von 1471 bis 1528 gelebt. Sein Haus
> steht heute noch in Nürnberg.
> *Google-Suchwort: Dürer*

b Ergänze *können, wollen* und *müssen* im Präteritum.

Eine Freundschaft

Im Jahr 1490 hatten zwei Freunde, Albrecht Dürer und Franz Knigstein,
große Pläne: Sie w......................... Kunst studieren und Maler werden.
Weil sie arm waren, m......................... sie hart arbeiten und hatten nicht viel
Zeit für das Studium.
Da hatten sie eine Idee: Der eine arbeitete für beide. Der andere
k......................... studieren und m......................... später seinem Freund
Geld für das Studium geben.
Sie haben zwei Zettel mit ihren Namen geschrieben und einen Zettel gezogen.
Albrecht Dürer hatte Glück und k......................... beginnen.
Er war in Italien und k......................... bei den großen Malern lernen.
    Nach zwei Jahren war Albrecht mit dem Studium fertig und schon
        berühmt.
            Jetzt k......................... Franz weiterstudieren. Aber weil Franz
            sehr hart arbeiten m........................., waren seine Finger
            jetzt kaputt und deshalb k......................... er nicht mehr
            mit dem feinen Pinsel malen. Er k......................... kein
            großer Maler mehr werden. Franz war aber ein guter
            Freund und er freute sich für Albrecht.
                Dürer hat gesehen, dass Franz für ihn zu Gott
                gebetet hat. Er hat die Hände Knig-
                steins gemalt, weil er ihm danken
                w......................... .
                „Die betenden Hände" sind vielleicht
                Dürers berühmtestes Kunstwerk und bis
                heute ein Symbol für wahre Freundschaft.

Albrecht Dürer

Dürer-Haus in Nürnberg

WIEDERHOLEN – DER FREUNDSCHAFTS-CHECK

6. Bist du ein guter Freund / eine gute Freundin? Mach den Freundschafts-Check!

1. Wann hat dein bester Freund / deine beste Freundin Geburtstag?
   - [a] Das weißt du.
   - [b] Das weißt du nicht.

2. Ihr schreibt gerade eine Geschichtsarbeit und dein Freund / deine Freundin braucht deine Hilfe. Euer Geschichtslehrer ist streng.
   - [a] Klar hilfst du ihm/ihr.
   - [b] Eine Sechs bekommen, wenn der Lehrer dich sieht? Nein danke. Soll doch der Freund / die Freundin das nächste Mal besser lernen.

3. Ihr geht auf eine Party. Dein Freund / Deine Freundin möchte dein Lieblings-T-Shirt anziehen.
   - [a] Auf keinen Fall! Das ziehst du selbst an!
   - [b] O.K., du hast auch andere tolle Sachen.

4. Eure Lieblingsband kommt in eure Stadt, aber du findest nur eine Karte für das Konzert. Was machst du?
   - [a] Du gehst alleine ins Konzert. Später kannst du deinem Freund / deiner Freundin alles erzählen.
   - [b] Entweder geht ihr beide oder keiner. Du verkaufst die Karte und ihr macht euch einen netten Abend.

5. Dein Freund / Deine Freundin hat eine zu enge Hose an. Du findest, das sieht blöd aus. Was sagst du?
   - [a] Oh Mann, echt schick, die Hose!
   - [b] Du, ich glaube, dass du eine andere Hose anziehen musst.

6. Dein Freund / Deine Freundin geht mit einem neuen Jungen/Mädchen aus. Du findest den Jungen / das Mädchen auch sehr süß. Was machst du?
   - [a] Du machst nichts. Süß oder nicht süß: Dein Freund / Deine Freundin ist für dich wichtiger.
   - [b] Du triffst dich auch mit dem Jungen / dem Mädchen. Der/Die Bessere gewinnt!

7. Dein Freund / Deine Freundin ruft dich an. Er/ Sie hat ein großes Problem und möchte mit dir reden. Du musst aber gleich mit deinen Eltern weg. Was sagst du?
   - [a] Ich muss jetzt dringend weg, aber ich ruf dich später an!
   - [b] Tut mir leid, ich muss dringend weg. Wir sehen uns morgen in der Schule.

8. Ihr hattet Streit. Was machst du?
   - [a] Nichts. Soll doch deine Freundin / dein Freund dich anrufen.
   - [b] Du schreibst eine SMS oder rufst an.

Dein Ergebnis:	1a = 1 P	3a = 0 P	5a = 0 P	7a = 1 P
Zähle deine	1b = 0 P	3b = 1 P	5b = 1 P	7b = 0 P
Punkte	2a = 1 P	4a = 0 P	6a = 1 P	8a = 0 P
zusammen.	2b = 0 P	4b = 1 P	6b = 0 P	8b = 1 P

0–5 Punkte: ☹ Du willst ein guter Freund / eine gute Freundin sein?
6–8 Punkte: ☺ O.K.! Für dich ist Freundschaft wichtig!

1 **Ein Tag – viele elektrische Geräte**

Löse das Kreuzworträtsel. Der Text im Lehrbuch hilft.

Waagerecht:

4. Es ist dunkel hier. Mach bitte das … an.
5. Das Telefon klingelt, aber man hört es nicht. Der V… ist an.
9. Du musst mehr … lesen. Dann weißt du, was in der Welt passiert.

Senkrecht:

1. Ein Unterrichtsfach. Es geht um die Vergangenheit.
2. Unsere Klasse macht jedes Jahr einen … Das macht immer viel Spaß.
3. Ich höre meine Musik immer mit dem … Da kann nur ich sie hören.
6. Ich stehe auf und dann gehe ich zuerst ins … zum Duschen.
7. Ein Computer. Man kann ihn in die Schule mitnehmen (Englisch).
8. Man muss einen Text zu einem Thema schreiben. Auf Deutsch heißt das A…

2 **Wortfeld: Medien**

a Schreib die passenden Wörter zum Bild.

der Bildschirm

b Welche Medienwörter möchtest du noch auf Deutsch wissen? Arbeite mit dem Wörterbuch. Tauscht eure Wörter in der Klasse.

disco duro   *hard disk*   **twarde dysk**   disque dur   硬盘   **pevný disk**   жесткий диск

3 Technikwörter: Nomen und Verben

Notiere zu diesen Verben die Verben aus deiner Sprache. Ergänze dann die Sätze.

ausmachen • starten • gecheckt • gelesen • ~~runterladen~~ • geschickt • öffnen • schließen • klingelt • sieh … an

1. Du kannst dir Musik aus dem Internet ...*runterladen*............. .
2. Ich habe dir gestern eine SMS .... Hast du sie ....?
3. Hast du heute schon deine E-Mails ....?
4. Ich habe die Datei nicht .... können.
5. Du musst alle Programme .... und den Computer neu ....
6. Mein Handy .... nicht, weil ich es auf Vibrationsalarm gestellt habe.
7. Kannst du bitte das Licht ....?
8. .... dir mal die Homepage von Robert .... Die sieht super aus.

4 Phonetik: englische Wörter im Deutschen

CD 32 **a Hör zu und sprich nach.**

der Comic • das Baby • das Quiz • das Sweatshirt •

das T-Shirt • die Jeans • der Campingplatz • der Hamburger •

cool • super • der Jazz • das Training

CD 33 **b Ergänze die Sätze mit den Wörtern aus a und hör zur Kontrolle.**

Guck mal, da ist ein ...*Baby*....... auf dem ....

Es trägt ein .... und eine ....

Es isst einen ....

Der .... ist ....!

5 Hören – zwei Radiomeldungen

Hör zu und markiere die richtige Lösung a, b oder c mit einem Kreuz.

CD 34 **a Hör den ersten Text.**

1. Was ist neu an der Einsteinschule?
a Die Schule hat jetzt Internet.
b Die Homepage ist neu.
c Es gibt jetzt eine Video-AG.

2. Wie kann man mitmachen?
a Man muss angemeldet sein.
b Man kann einfach einen Text schreiben.
c Man muss zuerst zum Direktor.

3. Was ist die „Wer-weiß-was?"-Ecke?
a Man kann dort Sachen kaufen und verkaufen.
b Man kann Fragen stellen oder beantworten.
c Dort gibt es Rätselspiele.

CD 35 **b Hör den zweiten Text.**

4. Das Filmfest zeigt …
a nur Filme aus Deutschland.
b Filme aus China.
c Filme aus aller Welt.

5. Wo findet das Filmfest statt?
a In Kinos.
b In Kinos und im Theater.
c In Kinos und im Park.

6. Die meisten Filme kommen …
a aus den USA.
b aus China.
c aus Deutschland.

6 **Modalverb *dürfen***

a Wiederholung Modalverben: Mach eine Tabelle im Heft.

können	müssen	wollen	mögen	dürfen
ich kann		ich will		ich darf
du	du musst		du magst	

b Was darf sie/er und was darf sie/er nicht? Schreib Sätze zu den Bildern.

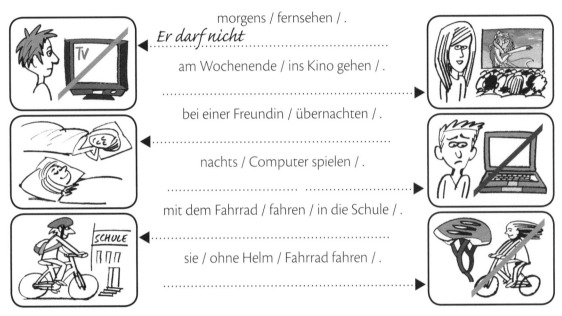

morgens / fernsehen / .

Er darf nicht ....

am Wochenende / ins Kino gehen / .

....

bei einer Freundin / übernachten / .

....

nachts / Computer spielen / .

....

mit dem Fahrrad / fahren / in die Schule / .

....

sie / ohne Helm / Fahrrad fahren / .

....

Was darfst du? Was darfst du nicht? Schreib je drei Sätze ins Heft.

7 **Fernseh- und Radiosender**

Füll den Fragebogen aus und ergänze noch eine Frage. Vergleicht in der Klasse.

1. Siehst du mehr fern oder hörst du mehr Radio?

....

2. Wie heißt dein Lieblingsradiosender?

....

3. Wie heißt dein Lieblingsfernsehsender?

....

4. Wie heißt zurzeit deine Lieblingsgruppe?

....

5. Wie heißt zurzeit deine Lieblingssendung im Fernsehen?

....

6. Hast du schon mal auf Deutsch Radio gehört oder ferngesehen?

....

7. ....

....

8

CD 36

Du sollst ...

Ordne die Dialoge.
Hör zur Kontrolle.

▶ Hast du meinen MP3-Spieler dabei?

▶ Ich hab dir schon gestern gesagt,
dass du ihn mitbringen sollst.

▶ Ich leihe dir nie wieder was.

▷ Oh, Entschuldigung! Den habe ich vergessen.

▷ Tut mir leid. Ich bringe ihn dir morgen.

▶ Es geht um eure Klassenfahrt.

▶ Maria, du sollst zum Direktor kommen.

▶ Nach der großen Pause.

▶ Weil er mit dir reden will.

▷ Wann soll ich zu ihm gehen?

▷ Warum?

▷ Was will er?

9

Anweisungen weitergeben/wiederholen

a   Wiederholung Imperativsätze: Schreib die Sätze.

1.   anrufen / Ulf / bitte / . (du)   *Ruf bitte Ulf an.*

2.   ausmachen / die Handys /. (ihr)   *Macht*

3.   keine Hausaufgaben / geben / bitte / Sie / .

4.   ausmachen / das Licht / bitte / . (du)

5.   zeigen / deine Hausaufgaben / mir / .

6.   aufräumen / dein Zimmer / bitte / .

CD 37

b   Hör zu und markiere in 9a. Wie ist der Ton: energisch (e) oder freundlich (f)?

c   Schreib die Sätze aus 9a mit *sollen*.

1.   hat gesagt, / Ulf // ihn / bitte / anrufen / du sollst / .
Ulf hat gesagt, du sollst ihn bitte anrufen.

2.   meint, / Frau Reute // ausmachen / unsere Handys / wir sollen / .

3.   meint, / Die Klasse // dass / keine Hausaufgaben / Sie uns / bitte / heute / geben sollen / .

4.   hat gesagt, / Mama // bitte / ausmachen / das Licht / du sollst / .

5.   Ich / dir / hab gesagt, // du mir / zeigen / deine Hausaufgaben / sollst / dass .

6.   sagt, / Papa // dein Zimmer / du sollst / bitte / aufräumen / .

Kummerkasten

a Ergänze den Text.

Hause • Computer • soll • weggenommen • ~~Problem~~ • Uhr • alt • zu Mittag • Schule • dass • weil • arbeitet

Hallo!
Mein ..._Problem_... ist mein Bruder. Er ist 12 Jahre .... und
geht in die Klasse 6. Für die Schule macht er gar nichts. Er kommt
nach ...., dann essen wir .... und dann geht er in sein
Zimmer und spielt .... Meine Mutter hat ihm jetzt seinen Computer .... Meine Mutter .... und kommt erst um
sechs .... nach Hause. Jetzt will mein Bruder immer mit meinem Computer spielen. Was .... ich machen? Ich will nicht,
.... er sauer auf mich ist, aber ich kann ihn auch nicht den
ganzen Nachmittag spielen lassen, ... er dann noch mehr
Probleme in der .... bekommt.
Bitte helft mir.   Charlotte

b Gib Charlotte einen Ratschlag. Vergleicht in der Klasse.

Sätze mit *wenn ... (dann)*

a Wiederholung: Nebensätze – Schreib die Sätze in die Tabelle.

1. Mein Bruder hat Probleme, weil er nur Computer spielt.
2. Ich weiß, dass mein Bruder nichts für die Schule lernt.
3. Er ist böse mit mir, wenn er nicht spielen darf.

Hauptsatz		Nebensatz	
	Verb		Verb
Mein Bruder		*weil*	

b Schreib die Sätze und markiere die Verben.

1. Ich höre gerne Radio, ...
   Zeit / ich / wenn / habe / .

2. Ich darf nur fernsehen, ...
   gemacht / habe / wenn / meine / Hausaufgaben / ich / .

3. Das Internet funktioniert nur, ...
   hat / einen / Internetzugang / wenn / man / .

4. ...., bin ich sehr traurig.
   kaputt / ist / mein / MP3-Player / Wenn /

Leseecke und Hörstudio

DAS DING – Ein Jugendradiosender   **DASDING – Fernsehen im Internet**

a Lies den Text. Welche Überschrift passt dazu?

b Lies noch einmal. Sind die Aussagen 1–5 richtig oder falsch? Kreuze an.

1. DASDING gibt es im auch Internet.   r   f
2. DASDING spielt Musik für die ganze Familie.   r   f
3. Die Radioreporter und -sprecher sind auch jung.   r   f
4. DASDING spielt viele alte Hits.   r   f
5. DASDING bringt viel Musik, aber auch Informationen für junge Leute. r   f

DASDING bleibt IN – das jüngste Radio Deutschlands

Mehr als sieben Millionen Menschen hören täglich DASDING. Mit einem Durchschnittsalter der Hörer von 26,1 Jahren ist DASDING Deutschlands jüngstes Jugendradio. Auch die Radiomacher sind zwischen 18 und 28 Jahren alt. DASDING bietet alles, was junge Leute in ihrem Radio suchen: interaktive Angebote, aktuelle Musik und Themen, die wirklich interessieren. Immer mehr junge Menschen in Deutschland hören und lieben DASDING.

DASDING ist ein sponsor- und werbefreies, öffentlich-rechtliches Jugendprogramm. Neben Musik und Unterhaltung, Spaß und Action vermittelt DASDING Inhalte, die Jugendliche interessieren. Über webradio kann man DASDING in der ganzen Welt hören. Mehr unter www.dasding.de.

»DASDING

ZEIT	MONTAG	DIENSTAG	MITTWOCH	DONNERSTAG	FREITAG	SAMSTAG	SONNTAG
0–6	DASDING MUSIK NONSTOP						PLATTENL.
6–10	DAS DING VON SECHS BIS ZEHN						DASDING CHILLOUT
10–13	DASDING VON ZEHN BIS EINS						
13–17	DASDING VON EINS BIS FÜNF SONNTAGS 13–17 Uhr – DASDING gefühlsecht						
17–20	DASDING VON FÜNF BIS ACHT SAMSTAGS 17–20 Uhr – DASDING Charts. Die Top 30 der DASDING Community!						DASDING SPEZIAL
20–22	CLUBDING	LAUTSTARK	NETZPARADE	SPRECH-STUNDE	R'N'B' PARTY	PARTY-FIEBER	DASDING Musik Live
22–23	Mixtape	Hörzeit			HOUSE-SESSION		DASDING MUSIK NONSTOP
23–24	DASDING MUSIK NONSTOP						

CD38

c DASDING-Reporter – Hör die Reportage zum Thema „Wie sehen die perfekten Eltern aus?".
Lies zuerst a–g. Hör die Reportage dann dreimal an. Zwei Aussagen stimmen nicht. Welche?

Die perfekten Eltern …
a) skaten und hören Heavy Metal.
b) erlauben, jeden Tag LAN-Partys zu machen.
c) erlauben, dass ich jeden Abend weggehe.

d) sind nicht böse bei schlechten Noten.
e) sind streng.
f) haben viel Geld und kaufen mir Sachen.
g) haben für alles Zeit.

Meine Ecke

Das ist vielleicht das längste deutsche Wort. Wie viele neue Wörter kannst du mit den Buchstaben von diesem Wort machen? Du darfst jeden nur einmal verwenden.

Rindfleischetikettierungsüberwachungsaufgabenübertragungsgesetz

Mach die Übungen. Kontrolliere auf Seite 79 und notiere:
😊 (das kann ich sehr gut) oder 😐 (es geht) oder 😟 (das muss ich noch üben)

Über elektronische Medien sprechen – Markiere die passenden Wörter. 😊 😐 😟

1. Sabrina hat mir eine SMS geschrieben/gemailt.
2. Ich muss gleich mal meine E-Mails checken/anmachen.
3. Ich kann deine Datei nicht hören/runterladen, weil sie zu groß ist.
4. Ich lese/höre nur MP3.

Sagen, was man darf / nicht darf – Schreib die Sätze mit *dürfen* oder *nicht dürfen*. 😊 😐 😟

1. Im Unterricht / das Handy / benutzen / man / nicht / dürfen / .
   Im Unterricht darf man ....

2. Ab 16 Jahren / man / bis 24 Uhr / weggehen / dürfen / . ...
   ....

3. Wir / ins Kino / nicht / gehen / dürfen / . ...

4. Warum / ihr / nur bis 9 / weggehen / dürfen / ? ....
   ....

Anweisungen weitergeben – Schreib die Sätze mit *sollen*. 😊 😐 😟

1. Mach das Licht aus!   Ich habe gesagt, du ....
2. Räumt auf!   Mama hat gesagt, wir ....
3. Tim, lern die Wörter!   Frau Jin hat gesagt, dass Tim ....
4. Gib mir das Handy!   Herr Weiß hat gesagt, dass ich ihm ....

Bedingung und Zeit nennen (*wenn*) – Was machst du, wenn ...? Schreib vier Sätze. 😊 😐 😟

1. wenn / die Hausaufgaben / ich / gemacht habe / , // ich / Freunde / treffe / .
   Wenn ich die ....

2. wenn / keine Schule / habe / , // ich / lange / schlafe / .
   ....

3. wenn / mein Freund / hat / keine Zeit / , // lese / ein Buch / ich / .
   ....

4. wenn / meine Lehrerin / mein Handy / wegnimmt / , // ich / sauer / bin / .
   ....

CD 39 Hör das Gespräch zwischen Mutter und Tochter. Richtig oder falsch? Kreuze an. 😊 😐 😟

1. Kerstin sitzt zu lange vor dem Computer.   ☐ r ☐ f
2. Kerstin lernt nicht genug für die Schule.   ☐ r ☐ f
3. Sie darf jetzt nur noch eine Stunde Computer spielen. ☐ r ☐ f
4. Am Wochenende darf sie zwei Stunden spielen.   ☐ r ☐ f
5. Kerstins Freunde spielen mehr als drei Stunden.   ☐ r ☐ f

■ Seite 33 ■ ■ ■

der Ton, "-e ....

das Leben, - ....

der Fernseher, - ....

sollen, soll, gesollt/sollen ....

die Ruhe (nur Sg.) ....

• in Ruhe ....

• Mist! ....

der Schatz, "-e ....

die Datei, -en ....

abschicken ....

• Das darf doch nicht
   wahr sein! ....

■ Seite 34 ■ ■ ■

anmachen ....

ausmachen ....

erlauben, erlaubt, erlaubt ....

merken ....

der Ohrhörer, - ....

das Lieblingslied, -er ....

der Bildschirm, -e ....

checken ....

einkaufen ....

mitgehen, geht mit,
   ist mitgegangen ....

das Notebook, -s ....

der Aufsatz, "-e ....

mailen ....

ausdrucken ....

einfallen, fällt ein,
   eingefallen ....

• Da fällt mir ein, … ....

halten, hält, gehalten ....

der Vortrag, "-e ....

• Vortrag halten ....

die Europäische Union ....

die Hälfte, -n ....

dürfen, darf, gedurft/
   dürfen ....

anschalten ....

das Licht, -er ....

dunkel ....

das Radio. -s ....

das Zähneputzen (nur Sg.) ....

die Zahnbürste, -n ....

die Homepage, -s ....

■ Seite 35 ■ ■ ■

runterladen, lädt runter,

runtergeladen

surfen ....

ansehen, sieht an,
   angesehen ....

öffnen ....

starten ....

schließen, schließt,
   geschlossen ....

der Brief, -e ....

täglich ....

mehrmals ....

selten ....

darüber ....

die meisten ....

■ Seite 36 ■ ■ ■

weggehen, geht weg,
   ist weggegangen ....

fernsehen, sieht fern
   ferngesehen ....

das Fernsehprogramm, -e ....

privat ....

öffentlich ....

■ Seite 37 ■ ■ ■

die Spülmaschine, -n ....

das Referat, -e ....

der Schluss, "-e ....

bügeln ....

■ Seite 38 ■ ■ ■

die Sorge, -n ....

der Chat, -s ....

das Team, -s ....

weinen ....

erst ....

verlassen, verlässt, verlassen ....

stundenlang ....

■ Seite 39 ■ ■ ■

wenn ....

die Fernsehserie, -n ....

der Tierfilm, -e ....

die Zeichentrickserie, -n ....

die Nachricht, -en ....

der Krimi, -s ....

der Wetterbericht, -e ....

die Werbung, -en ....

....

....

....

....

① Wie fühlen sie sich?

a Ordne die Adjektive den Bildern zu.

super • gut • nicht so gut • fantastisch • schlecht • nicht schlecht • sehr schlecht • total schlecht

....	....	....	....
....	....	....	....

b Ergänze die Tabelle und danach die Dialoge 1–4.

ich ärgere	*mich*	wir ärgern	
du ärgerst		ihr ärgert	
er/es/sie/man ärgert		sie/Sie ärgern	

Dialog 1

▶ Warum ärgert Milena ....*sich*............?

▷ Weil sie einen Fehler in der Mathearbeit gemacht hat.

▶ *Einen* Fehler? Und dann ärgert sie ....?

Dialog 2

▶ 2 zu 1! Herzlichen Glückwunsch! Wie fühlt ihr ....?

▷ Super! Wir haben .... total gefreut!
Wir fühlen .... fantastisch!

Dialog 3

▶ Wie geht's Anne und Marie? Wie fühlen sie ....?

▷ Nicht so gut, gestern haben sie .... geärgert,
weil Tom nicht gekommen ist.

Dialog 4

▶ Was ist los? Hast du .... geärgert?

▷ Ja, ich wollte gemütlich fernsehen, ich habe .... schon so gefreut.
Da ist meine Mutter gekommen: „Hausaufgaben!" Ich habe .... total geärgert.

② Ich freue/ärgere mich, wenn ...

Sag es anders. Schreib Sätze mit *sich ärgern*, *sich freuen* oder *sich ... fühlen* ins Heft.

1. Sie war am Wochenende traurig, weil sie alleine war.
2. Ich bin immer sauer, wenn ich aufräumen muss.
3. Sie sind froh, weil sie heute keine Schule haben.
4. Er ist traurig, weil seine Freundin nicht anruft.

*sie hat sich schlecht gefühlt,
weil sie ...*

3 Wie fühlen sich die Personen?

CD 40 Welche Wörter sind betont? Hör zu, unterstreiche und sprich nach.

Das kann doch nicht wahr sein!   Das ist doch nicht möglich!

Das kann ich nicht glauben!   Das ist ja toll!

4 Ärger, Freude

a Diese vier Wörter sind wichtig für den Text: *ansteckend, Laune, Forscher, automatisch.* Schau die Bilder an und lies den Text. Welche kannst du erraten? Schau die anderen im Wörterbuch nach.

Gute Laune ist ansteckend, schlechte Laune auch

Wenn unsere Freunde, Freundinnen oder unsere Familie lachen und sich freuen, dann freuen wir uns auch. Lachen ist ansteckend – wie eine Krankheit. Wenn aber alle Leute um uns herum sich ärgern und schlechte Laune haben, dann ärgern wir uns auch. Das ist schon lange bekannt. Aber warum ist das so? Forscher von einer Universität haben die Antwort auf diese Frage gefunden.

Wenn wir mit einer Person sprechen, dann haben wir automatisch die gleiche Körpersprache und Mimik wie sie. Wenn sie sich freut, dann haben wir die Körpersprache und das Gesicht von „sich freuen". Und wenn wir ein *Sich-freuen-Gesicht* machen, dann freuen wir uns automatisch wirklich. Genauso ist es mit dem Sichärgern. Wenn wir „sich ärgern" imitieren, dann fühlen wir uns schlecht und ärgern uns.

b Steht das im Text oder nicht?

	im Text	nicht im Text
1. Lachen ist eine Krankheit.	☐	☐
2. Wenn wir mit einer Person sprechen, dann machen wir das gleiche Gesicht wie sie.	☐	☐
3. Wenn wir uns freuen, sprechen wir mit Händen und Füßen.	☐	☐
4. Wenn unser Partner sich ärgert, dann haben wir auch schlechte Laune.	☐	☐
5. Wir imitieren die Körpersprache von unserem Partner.	☐	☐

c Warum sind gute und schlechte Laune ansteckend? Schreib eine Erklärung mit eigenen Worten.

5 Phonetik: *b, d, g* am Silbenende (Wiederholung)

CD 41 Hör zu und sprich nach. Wo spricht man *b, d, g* als *p, t, k*? Markiere.

geben   es gibt   schreiben   sie schreibt   mein Lieblingsfach

Freund   Freundin   mit dem Fahrrad

möglich   glücklich   gewinnen   Geburtstag   das Zeugnis

Schulen

CD 42

a Hör zu und markiere: richtig oder falsch? Korrigiere die falschen Informationen.

1. Florians Schule		
1. Florians Schule ist in Berlin.	r	f
2. Florians Schule hat 1300 Schüler und 125 Lehrer.	r	f
3. Florian kennt alle Lehrer.	r	f
4. Florian hat immer von morgens bis abends Schule.	r	f
5. Wenn er 6 Stunden hat, ist er um 13 Uhr 15 fertig.	r	f
6. Florian mag die Physik- und die Informatik-AG.	r	f

2. Violas Schule		
1. Violas Schule ist eine normale Schule.	r	f
2. Violas Schule hat nur 160 Schüler.	r	f
3. Alle machen Musik.	r	f
4. Viola macht den ganzen Tag Musik.	r	f
5. Nur wenige wollen Abitur machen.	r	f
6. Violas Hobby ist die Musik.	r	f

b Schreib einen Text über deine Schule.

Interviews

a Schreib die Fragen zu den unterstrichenen Teilen in den Antworten.

▶ *Wer ist euer Mathelehrer* ....?   ▷ <u>Herr Rohrmann</u> ist unser Mathelehrer.

▶ ....?   ▷ Wir haben <u>viermal in der Woche</u> Deutsch.

▶ ....?   ▷ Unsere Schule liegt <u>im Stadtzentrum</u>.

▶ ....?   ▷ Unser Unterricht beginnt <u>um 7.50 Uhr</u>.

▶ ....?   ▷ Ich gehe <u>alleine</u> zur Schule.

▶ ....?   ▷ Ich fahre <u>mit dem Bus</u> zur Schule.

▶ ....?   ▷ Mein Lieblingsfach ist <u>Biologie</u>.

b Schreib weitere Fragen zum Thema Schule und Freizeit. Tauscht die Fragen in der Klasse und beantwortet sie.

Was …? Wann …? Wo …? Wie oft …? Wer …? Mit wem …? Wie …?

8 **Fragen zur Carl-Strehl-Schule:** *welch- /jed-/dies-*

a **Ergänze die Tabelle .**

Nominativ	welch... Schüler	welch... Buch	welch... Schülerin	welch... Filme
Akkusativ	welch... Schüler	welch... Buch	welch... Schülerin	welch... Filme
Dativ	welch... Schüler	welch... Buch	welch... Schülerin	welch... Film...

b **Nominativ oder Akkusativ? Ergänze.**

1. Welch... Buch ist dein Lieblingsbuch?
2. Welch... Film möchtest du gerne sehen?
3. Welch... Tier magst du am liebsten?
4. Dies... DVDs habe ich schon gesehen.

5. Dies... Film möchte ich unbedingt sehen.
6. Jed... Buch hat eine eigene CD.
7. Ich brauche für jed... Fach ein anderes Heft.
8. Wir fangen jed... Morgen um 8 Uhr an.

c **Akkusativ oder Dativ? Ergänze die Endungen. Beantworte die Fragen für dich im Heft.**

1. Welch... Sprache magst du lieber, Englisch oder Deutsch?
2. In welch... Fach bist du nicht so gut? In welch... bist du gut?
3. Welch... Freizeitaktivitäten findest du gut?
4. Welch... Lehrer findest du streng? (Plural)
5. Bei welch... Lehrer oder bei welch... Lehrerin hast du am liebsten Unterricht?
6. Für welch... Fach musst du am meisten lernen?
7. An welch... Tagen hast du Mathe?
8. In welch... Klasse bist du?

9 **Orientierung**

CD 43

Schau dir die Zeichnung an. Die Abstände von Tisch zu Tisch sind immer 1 cm.

Nimm einen Stift und setze ihn auf A (Anfang). Dann mach die Augen zu, hör zu und zeichne den Weg.

Mach die Augen **nicht** auf. Entscheide: Wo bist du – am Fenster, an der Tür oder an der Tafel ?

Jetzt mach die Augen auf. Hast du es richtig gesagt?

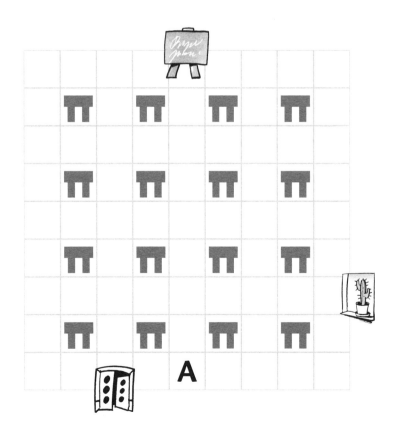

10 **Zusammenleben im Internat**

a Ergänze die Imperativformen.

	du-Form	**ihr-Form**
sich freuen	.... doch.	.... doch.
sich ärgern	.... doch nicht.	.... doch nicht.
sich beeilen	.... mal!	.... mal!
sich streiten	.... doch nicht immer mit Maria!	.... doch nicht immer!
sich fühlen	.... wie zu Hause.	.... wie zu Hause.

b Ergänze einen passenden Satz aus a.

1. 1 zu 1 ist doch gut, ihr habt wenigstens nicht verloren! *Ärgert euch doch nicht!* ....

2. Der Zug fährt gleich und du hast deinen Koffer noch nicht fertig! ....

3. Immer wenn ihr zusammen seid, habt ihr Probleme. ....

4. Wenn du Hunger hast, kannst du dir selbst etwas nehmen. ....

5. Ach komm, es ist nicht so schlimm, das nächste Mal wird es besser. ....

11 **Hören üben**

CD 44

a Hör zu und markiere: aggressiv oder freundlich?

b Hör noch einmal und sprich nach.

	1	2	3	4	5
aggressiv	☐	☐	☐	☐	☐
freundlich	☐	☐	☐	☐	☐

12 **Schule, Familie, Freunde – Was gehört zum Zusammenleben?**

a Gegensätze – Was passt zusammen?

Chaos machen✓ gemütlich helfen schimpfen feiern sich ärgern Stress haben	Spaß haben sich freuen aufräumen✓ stören stressig gute Gespräche haben arbeiten

b Ergänze in der richtigen Form: *müssen – nicht dürfen – dürfen*

1. ▶ .... du am Wochenende immer mit deinen Freunden weggehen?

   ▷ Ja, aber ich .... sofort weggehen. Ich .... immer erst mein Zimmer aufräumen,

   dann .... ich für die Schule lernen und wenn ich fertig bin, ... ich weggehen.

2. ▶ Wie lange .... du abends weggehen?

   ▷ In der Woche .... ich .... weggehen, am Wochenende .... ich,

   dann .... ich um 10 Uhr zu Hause sein.

3. ▶ Anna .... in Discos gehen, sie ist noch nicht 18 Jahre alt.

13 **Streit schlichten – Kompromisse finden**

Ergänze die Sätze und finde einen Kompromiss.

1. ▶ Wir können nicht um 6 Uhr ins Kino gehen. Ich muss mein Zimmer aufräumen. ▷ Na gut, dann …

2. ▶ Schon wieder schwimmen gehen, ich habe keine Lust! ▷ Von mir aus, dann …

3. ▶ Du musst unbedingt mitkommen. Ich möchte nicht alleine einkaufen. ▷ Einverstanden, aber …

Leseecke und Hörstudio

Das Licht ist aus! – Essen im Dunkeln

Essen im Dunkeln, das ist ein ungewöhnliches Erlebnis. Sie können das Essen nicht sehen.
Sie können es nur mit den Händen fühlen. Sie können es riechen und schmecken. Auch Ihre Freunde
sehen Sie nicht. Sie können sie nur hören und fühlen.
Kommen Sie und wählen Sie aus verschiedenen köstlichen Menüs.
Unser Koch hilft Ihnen gerne persönlich. Oder essen Sie ein Überraschungsmenü.
In der Welt des Dunkeln sind Sie nicht verloren, denn wir helfen Ihnen und führen Sie.
Fühlen Sie sich in tiefster Dunkelheit sicher.
Blinde oder stark sehbehinderte Kellner helfen Ihnen mit viel Einfühlungsvermögen durch einen Abend
sinnlichen Genusses. Fragen Sie, wenn Sie einen Wunsch haben oder wenn Sie Hilfe brauchen.
Wir haben immer ein offenes Ohr für Sie.

die Löffel
auf 12 Uhr

Öffnungszeiten:

Mittwoch bis Samstag 18 Uhr 30 bis 23 Uhr · Sonntag 18 Uhr bis 23 Uhr
Wir nehmen gerne Ihre Reservation telefonisch unter 061 336 33 00 entgegen.

a Lies die Homepage und die Fragen und markiere die richtige Antwort.

1. Was kann man in dem Restaurant machen?
☐ Man kann sehr gutes Essen bekommen.
☐ Man kann den Koch sehen.
☐ Man kann interessantes Essen sehen.

2. Wann kann man im Restaurant essen?
☐ Am Dienstagabend.
☐ Am Donnerstagabend.
☐ Am Sonntagmittag.

3. Wer kann in dem Restaurant essen?
☐ Das Restaurant ist speziell für blinde Menschen.
☐ Das Restaurant ist nur für nichtblinde Menschen.
☐ Das Restaurant ist für alle Menschen.

4. Wem helfen die Kellner?
☐ Die Kellner helfen den blinden Menschen.
☐ Die Kellner helfen den nichtblinden Menschen.
☐ Die Gäste brauchen keine Hilfe.

CD 45

b Hör zu. Sind die Personen pro oder kontra Dunkelrestaurants?

1. pro ☐   kontra ☐   2. pro ☐   kontra ☐   3. pro ☐   kontra ☐

c Glaubt ihr, dass es Dunkelrestaurants gibt? Schaut im Internet, z.B. www.blindekuh.ch, www.unsicht-bar.com oder unter dem Stichwort „Dunkelrestaurant" in einer Suchmaschine.

5   Einen Schritt weiter

Mach die Übungen. Kontrolliere auf Seite 79 und notiere:

😊 (das kann ich sehr gut) oder 😐 (es geht) oder 😞 (das muss ich noch üben)

Über Gefühle sprechen – Ergänze und schreib die Sätze zu Ende. 😊 😐 😞

1. Ich ärgere ...., wenn ....

2. Meine Mutter freut ...., wenn ....

3. Wir fühlen .... gut, wenn ....

Eine Schule beschreiben – Ergänze die Wörter. 😊 😐 😞

normalen • Schi • besondere • singen • einzige • spielen • Freizeitaktivitäten • das Abitur

Die Carl-Strehl-Schule ist eine .... Schule. Sie liegt in Marburg und ist das ....
Gymnasium für blinde Schüler. Die Schüler können hier .... machen. Man lernt die ganz
.... Schulfächer. Die Schule bietet auch viele ....,
wie z.B. .... fahren, im Chor .... oder auch Theater ....

Regeln formulieren – Schreib fünf Regeln mit diesen Elementen. 😊 😐 😞

Man darf nicht	Man darf	Man muss anderen	Man muss	Man darf
immer lauter reden.	ruhig bleiben.	nicht böse werden.	nicht aggressiv werden.	genau zuhören.

....

....

....

....

....

CD 46   **Streiten und Kompromisse finden – Welche Reaktionen passen zu den Äußerungen? Kreuze an.** 😊 😐 😞

1.
   a Dann siehst du jetzt fern und ich ab acht Uhr, o.k.?
   b Das kann ich nicht glauben.

2.
   a Das freut mich.
   b Was? Das ärgert mich total.

3.
   a Ich mache die Musik gleich leiser.
   b Einverstanden, aber nur eine halbe Stunde.

4.
   a Von mir aus, dann spiele ich später.
   b Das ist nett von dir.

5.
   a Wir können doch auch zusammen spielen?
   b Du kannst ihn haben.

6.
   a Ich finde das interessant.
   b Das darf nicht wahr sein.

■ Seite 41 ■ ■ ■

das Zusammenleben
   (nur Sg.) ....
streiten, streitet, gestritten ....
der Kompromiss, -e ....
das Tor, -e ....
(sich) fühlen ....
sich wohlfühlen ....
sich freuen ....
sich ärgern ....

■ Seite 42 ■ ■ ■

gewinnen, gewinnt, ...
   gewonnen
die Mannschaft, -en ....

■ Seite 43 ■ ■ ■

der Ärger (nur Sg.) ....
die Freude, -n ....
dann
kaputtmachen ....
laut ....

■ Seite 44 ■ ■ ■

besonder- ....
besonders ....
blind ....
das Abitur (nur Sg.) ....
das Internat, -e ....
selbständig ....
zusätzlich ....
die Fähigkeit, -en ....
ordnen ....
das Fach, "-er ....
bieten, bietet, geboten ....
die Band, -s ....

■ Seite 45 ■ ■ ■

die Behinderung, -en ....
interessieren, interessiert, ...
   interessiert
präsentieren, präsentiert, ...
   präsentiert
der Versuch, -e ....
unsicher ....
die Angst, "-e ....

■ Seite 46 ■ ■ ■

das Badezimmer, - ....
das Wohnzimmer, - ....
der/das/die Beste, -n ....
der Streit (nur Sg.) ....
die Dusche, -n ....
zuerst ....
besetzt ....
eben ....
gerade eben ....
• das nächste Mal ....

■ Seite 47 ■ ■ ■

aggressiv ....
die Meinung, -en ....
(sich) entschuldigen ....
beschimpfen, beschimpft, ...
   beschimpft
• hör mal ....
klar ....
• von mir aus ....
einverstanden ....

....
....
....
....
....
....
....
....
....
....
....
....
....
....
....
....
....
....

1   **Texte und Bilder**

a   **Was passt zusammen? Ordne 1 oder 2 zu.**

1. Wie gefällt dir
2. Wie gefallen dir

..1.. a)   der Hund?
... b)   die neue Lehrerin?
... c)   meine Ohrringe?
... d)   die Bluse von Marie?
... e)   das neue Motorrad von Karl?
... f)   diese Lieder?
... g)   meine neue Frisur?

b   *Mögen – gut finden – gefallen:* **Sag es anders.**

1. Ich mag komplizierte Computerspiele.
2. Benedikt mag Mathe und Physik.
3. Marie mag große Ohrringe.
4. Mögt ihr alte Autos?
5. Anne und Marie mögen nette Jungs.
6. Ich mag die Songs von …

> *Ich mag komplizierte Computerspiele.*
> *Ich finde komplizierte Computerspiele gut.*
> *Komplizierte Computerspiele gefallen mir.*

c   **Wiederholung – Ergänze die Dativpronomen.**

dir • euch • Ihm • ihnen • Ihnen • Ihnen • ihnen • ihr • ihr • mir • Mir • uns

1. ▶ Kannst du .... helfen? Ich verstehe das nicht.

   ▷ Keine Zeit, vielleicht kann Anne .... helfen.

2. ▶ Guten Tag, Frau Milius, wie geht es .... ?

   ▷ Danke, gut, Herr Schmidt, und................. ?

   ▶ .... geht es leider nicht so gut. Ich habe etwas Kopfschmerzen.

3. Daniel mag kein Rosa. .... gefallen Blau und Rot.

4. Marie ist sauer. Die Schuhe gefallen .... nicht und die Bluse gefällt .... auch nicht.

5. ▶ Na, wie schmeckt .... das Essen, ihr zwei?

   ▷ Na ja, es schmeckt .... nicht besonders, aber wir haben Hunger.

6. Der Urlaub ist toll für Benedikt und Angelo, der Campingplatz gefällt .... gut und das Essen

   schmeckt .... fantastisch.

2   **Große Hunde gefallen mir …**

Was passt? Ordne die Adjektive zu und ergänze das Gegenteil. Es gibt mehrere Möglichkeiten.

leicht • ~~schnell~~ • teuer • bunt • kompliziert • groß • jung • modisch • spannend • neu …

schnell – langsam
....
....

....
....
....

....
....
....

Adjektive

a Wiederholung: Ergänze die Sätze mit Adjektiven und schreib sie ins Heft. Es gibt viele Möglichkeiten.

berühmt • wunderbar • sehr gut • cool • teuer • schnell • jung • süß • modisch • neu • interessant

Der Schauspieler ist …   Das Motorrad ist …   Die Sängerin ist …   Die Schuhe sind …

Ich finde ihn …   Ich finde es …   Ich finde sie …   Ich finde sie …

Er sieht … aus.   Es sieht … aus.   Sie sieht … aus.   Sie sehen … aus.

b Adjektive vor dem Nomen – Sieh dir das „Denk nach" im Lehrbuch auf Seite 51 zwei Minuten an. Mach dann das Lehrbuch zu und ergänze die Beispielsätze mit Adjektiven aus a.

Nominativ

Das ist ein .... Schauspieler.

Das ist ein .... Motorrad.

Das ist eine .... Sängerin.

Das sind .... Schuhe.

Akkusativ

Kennst du noch einen .... Schauspieler?

Willst du auch so ein .... Motorrad haben?

Gibt es noch eine so .... Sängerin?

Siehst du noch mehr .... Schuhe?

c Widersprechen

Das ist ein toll…… Film.

Das ist ein interessant…… Buch.

Das war eine wunderbar…… Reise.

Wir sind doch gut…… Freunde.

Ich finde, das ist kein toll…… Film.

Ich finde, das ist kein interessant…… Buch.

Ich finde, das war keine wunderbar…… Reise.

Ich finde, wir sind heute keine gut……
Freunde.

d Was möchtest du gerne später haben / nicht haben?

groß   modern   schick   gut   Wohnung   Haus   Handy   Computer   Be-
nett   schnell   cool   leicht   ruf   Familie   Motorrad
schwer   klein   …   Freunde und Freundinnen   Kinder …

Ich möchte einmal eine schicke Wohnung (haben).
Ich möchte keinen schweren Beruf (haben).

4 Adjektive trainieren

Schreib aus den Elementen Sätze und ergänze Adjektive.

Eine ... Frau	haben	ein ... Auto.
Ein ... Mann	suchen	ein ... Fahrrad.
Ein ... Junge	brauchen	ein ... Handy.
Ein ... Mädchen	kaufen	... Kleider.
... Jugendliche		... Ohrringe.
		eine ... Kappe.

Eine interessante Frau braucht keine coole Kappe.

5 Hören üben

CD 47

Was hörst du: a oder b?

- a (Das ist ein) schneller Porsche.
- a (Das ist ein) interessanter Ohrring.
- a (Das ist ein) toller Job.
- a (Das ist ein) neuer Computer.

- b (Ich möchte einen) schnellen Porsche.
- b (Ich suche einen) interessanten Ohrring.
- b (Ich brauche einen) tollen Job.
- b (Ich brauche einen) neuen Computer.

6 Ein toller Ferrari

Ergänze die Artikel und dann die Adjektivendungen in der E-Mail.

der Ferrari ...... Freund ...... Cousin ...... Job ...... Firma ...... Stunde ...... Auto

Hi, Murat,

ich muss dir was erzählen. Stell dir vor, ich habe gerade einen rot......
Ferrari gesehen. Und nicht nur gesehen, ich bin auch mit dem Ferrari
gefahren. Nein, nicht wirklich selbst gefahren, aber mitgefahren. Ali, ein gut...... Freund von mir,
hat seinen älter...... Cousin zu Besuch. Der hat einen toll...... Job. Er arbeitet für eine groß......
Computerfirma und verdient eine Menge Geld. Er hat einen neu...... Ferrari gekauft und wir sind
eine ganz...... Stunde zusammen gefahren. Es war klasse.
Hier das Foto. Ist das nicht ein toll...... Auto?
Ali

Personen beschreiben

**a Finde 11 Wörter für Kleidungsstücke,
12 Wörter für Körperteile und 5 Wörter
für Accessoires. Ergänze den
Artikel und den Plural.**

Körperteile: das Bein, -e
Kleidungsstücke: die Jeans,-
Accessoires: der Gürtel, -

```
Z K H E E Q P U L L O V E R K K
S I Q F O H R R I N G Y M U N D
P C L X G U F I N G E R J H X Q
Q L C O S X V A O B L U S E X L
K O P F R N B A D E H O S E N M
J K H S O C K E B G G Ü R T E L
Z B K J M E A U G E F U S S M G
Q O E R Ü C K E N Y R N K O H R
C U L T B E I N M A N T E L P V
A F S W E A T S H I R T B C I D
N A S E A N R K A P P E O V C E
R L S O N N E N B R I L L E J D
S H A N D Y N C T K M J E A N S
T A S C H E S C H U L T E R M F
I C B A U C H T - S H I R T P E
Y C L H B I K I N I W T H O S E
```

b Welche Adjektive passen? Schwer? Die Liste unten hilft.

Wie können Haare sein? ....

Wie können Augen sein? ....

Wie kann ein Kleid sein? ....

… lang, kurz, lockig, blond, braun, schwarz, rot, dunkelblond, hellblond, braun, grün, blau, graublau, gelb, gestreift, gepunktet

 Personen raten

a Ergänze die Texte und ordne zu.

☐ Person   ☐ Person   ☐ Person

A hat • finde • sieht • aus • trägt • trägt

Die Person .... rote, lange, lockige

Haare und .... eine gestreifte Kappe.

Sie .... interessante Kleidung: eine

schwarze, enge Hose und ein gepunktetes

Sweatshirt. Ich ...., sie ....

ein bisschen verrückt ....

B alt • aussieht • dass • groß • trägt • ungefähr

Die Person ist vielleicht 30 Jahre ....

und .... 1,60 m.................. . Sie

.... sportliche Kleidung, aber ich finde,

.... sie nicht so sportlich ....

 **b Schreib über dich. Sammelt in der Klasse, mischt die Zettel und lest vor.
Findet ihr heraus, wer was geschrieben hat.**

9   **Einkaufen – Adjektive vor dem Nomen nach *der/das/die* ...**

a   Sieh dir das „Denk nach" auf Seite 54 im Lehrbuch zwei Minuten an. Mach dann das Lehrbuch zu und ergänze die Sätze.

1. ▶ Wie gefällt dir die braun... Jacke?

   ▷ Na ja, es geht. Ich mag die schwarz... Jacke lieber.

2. ▶ Wie findest du den gestreift... Pullover?

   ▷ Der ist klasse.

3. ▶ Willst du das weiß... Kleid kaufen?

   ▷ Ich weiß noch nicht. Ich probiere erst noch mal das

      blau... . Das weiß... ist ein bisschen zu eng.

4. ▶ Hast du die rot... Schuhe gesehen?

   ▷ Die finde ich cool.

   ▶ Ja, nicht schlecht, aber die grüngelb...

      Schuhe da vorne sind noch cooler.

CD 48   **b**   Ergänze die Verben und ordne den Dialog. Hör zur Kontrolle.

finden • finden • probieren • probieren • stehen • kaufen • stehen

▶ Guck mal, Hannah, die Hose.

▶ Die gestreifte, die .... ich cool.

▶ Na und? Ich .... sie mal. – Und was sagst du? Wie .... sie mir?

▶ Klasse. Komm, wir .... die Hosen und gehen im Partnerlook.

▷ Welche Hose, die rote oder die gestreifte?

▷ Na ja, ein bisschen verrückt ist sie schon.

▷ Ich ...., sie sieht super aus. Ich .... sie auch mal.

   Und .... sie mir auch?

10   **Jugendliche in Deutschland – Das Äußere zählt**

CD 49   **a**   Ist das Äußere wichtig für Anna Lena, Flora, Kevin und Lukas? Hör zu und kreuze an.

	wichtig	nicht so wichtig	gar nicht wichtig
Anna Lena			
Flora			
Kevin			
Lukas			

b   Ergänze.

wenn • deshalb • als • weil

1. Ich gehe einmal im Monat zum Friseur, ... ich die Haare besonders wichtig finde.

2. .... ich mit meinen Freunden ausgehe, style ich mich immer.

3. Ich gebe viel Geld für technische Dinge aus. .... habe ich nicht so viel für Kleidung.

4. Ein cooler Handyklingelton ist mir wichtiger .... ein T-Shirt.

Leseecke und Hörstudio

Seit einigen Jahren diskutiert man in
Deutschland über Schuluniformen. Viele
Jahre waren alle gegen Uniformen in der
Schule, weil man bei Uniformen an die
Nazi-Zeit (1933–1945) gedacht hat. Einige
Schulen haben jetzt wieder Schuluniformen. Im Internet diskutieren Eltern, Lehrer,
Politiker und Jugendliche über das Thema.

a   Lies 1–7 und dann die fünf Texte. Zwei Argumente von 1–7 stehen nicht in den Texten. Welche?

1. Jeder Mensch ist anders.
2. Schuluniformen sind gut gegen Diskriminierung.
3. Schuluniformen kosten viel Geld.
4. In vielen Firmen muss man auch Berufskleidung tragen.
5. Schuluniformen sind o.k., wenn die Schüler sagen dürfen, wie sie aussehen.
6. Wenn es Schuluniformen gibt, dann sollen die Lehrer sie auch tragen.
7. Viele Schüler fühlen sich in Uniform nicht wohl.

TrickTrack: Ich sage NEIN zur Schuluniform. Also o.k.: Es gibt Arm und Reich. Aber da hilft doch die Schuluniform auch nicht, nur weil man es dann nicht mehr so merkt. Manchmal ist es vielleicht gut, denn einige Schüler haben wenig Geld und können keine teure Kleidung kaufen. ABER: Ich bin zum Beispiel zu dick. Wenn ich gute Kleidung kaufe, dann sehe ich gut aus. Natürlich sind das meistens teure Markenklamotten. Wenn ich eine Schuluniform tragen muss, die 1. nicht zu mir passt, 2. zeigt, dass ich dick bin, und 3. schlecht aussieht – dann ist das der Horror für mich.

Krissi: Bei VW hat ja auch jeder die gleiche Arbeitskleidung an. Bei den meisten Firmen gibt es Regeln für die Kleidung. Ich finde, wenn man Schuluniformen trägt, dann sieht man die sozialen Unterschiede nicht so sehr. Die gleiche Kleidung zeigt, dass man zusammengehört. Deshalb finde ich Schuluniformen gut.

Anne: Also, ich find Schuluniformen genial! Nicht nur diese Shirts oder Kleiderregeln, sondern richtige Uniformen. Ich finde aber, dass die Schüler mitbestimmen müssen, und dann gibt es bestimmt coole Schulkleidung.

Frauke: Wenn man Schuluniformen einführt, dann müssen die Schüler mitbestimmen, welche Uniform sie tragen. Und man muss verschiedene Uniformen zum Wählen haben. Die Uniform soll bunt sein, nur grau oder blau ist ja langweilig. Wenn das so ist, dann sage ich JA zur Uniform.

Jess: Ich bin total gegen Uniformen!!! Wir wollen Individuen sein und keine Masse. Warum sollen denn alle das Gleiche anziehen? Ich will doch anziehen, was ich will, das darf mir keiner verbieten!! Andere Sachen in der Schule sind viel wichtiger, die muss man ändern, z.B.: Weg mit dem Notenstress! …

---

b   Welche Argumente pro und kontra Schuluniformen gibt es noch?

CD 50 **c   Hör den Text mehrmals. Markiere das richtige Wort.**

1. Früher hat Mario in Deutschland/Bolivien gelebt.
2. Heute wohnt er in Bolivien/Brasilien.
3. Früher hat er Schulkleidung / keine Schulkleidung getragen.
4. Das war nie / immer ein Problem.
5. Er trägt heute ein Schul-T-Shirt und eine blaue/rote Hose.
6. Er findet Schulkleidung in Deutschland wichtig/unnötig.
7. Er findet Schulkleidung im neuen Land gut / nicht gut.

Mach die Übungen. Kontrolliere auf Seite 79 und notiere:

☺ (das kann ich sehr gut) oder 😐 (es geht) oder ☹ (das muss ich noch üben)

Sagen, was dir gefällt (Mode/Design) – Schreib Sätze wie im Beispiel. ☺ 😐 ☹

Jeans / modische / gefallen / Mir / . *Mir gefallen modische Jeans* ....

1. Ich / haben / ein / Handy / möchte / neues / . ...

2. Ich / Bluse / mag / rote / deine / . ...

3. finde / super / Ich / den / Mantel / schwarzen / ....

4. Hemd / du / Wie / findest / das / weiße / ? ....

Sachen und Personen beschreiben – Ergänze den Text. Zu welchem Bild passt er? ☺ 😐 ☹

trägt • trägt • laute • coole • schönen • weißes • blau • weiß

Sergio .... immer eine .... Kappe,

seine Hose ist .... Er .... ein ....

T-Shirt und links einen .... Ohrring.

Seine Sportschuhe sind ....

Er hört immer .... Musik.

Kleidung kaufen – Ordne den Dialog. ☺ 😐 ☹

▶ 145 Euro.

▶ Die Jeans steht dir.

▶ Pedro, hast du die schwarze Jeans gesehen?

▶ Was kostet sie? Schau mal.

▶ Was? Das ist ja viel zu teuer.

▶ Die ist ja echt super. Ich probiere sie mal an.

CD 51

Meinung zu einer Statistik äußern – Hör den Dialog über die Statistik im Lehrbuch. ☺ 😐 ☹
Richtig oder falsch? Kreuze an.

1. Maria meint, dass in ihrer Klasse Mode nicht so wichtig ist. ☐ r ☐ f

2. Pedro sagt, dass in Spanien die Jugendlichen noch mehr auf ihr
   Aussehen achten. ☐ r ☐ f

3. Maria sagt, dass sie in ihrer Schule Schulkleidung trägt. ☐ r ☐ f

4. Pedro meint, dass die Mädchen in Spanien viel Geld für
   Make-up und die Haare ausgeben. ☐ r ☐ f

5. Maria sagt, dass ihre Mutter ihr die Haare macht. ☐ r ☐ f

■ Seite 49 ■ ■ ■

gefallen, gefällt, gefallen ....

das Design, -s ....

anprobieren, probiert
  an, anprobiert ....

der Schuh, -e ....

der Turnschuh, -e ....

modisch ....

der Geschmack (nur Sg.) ....

das Display, -s ....

die Funktion, -en ....

das Video, -s ....

■ Seite 50 ■ ■ ■

der Sportwagen, - ....

das Mountainbike, -s ....

kompliziert ....

das Hemd, -en ....

■ Seite 51 ■ ■ ■

das Gigabyte, -/-s ....

verkaufen, verkauft,
  verkauft ....

die Mathearbeit, -en ....

wegnehmen, nimmt weg,
  weggenommen ....

■ Seite 53 ■ ■ ■

der Punkt, -e ....

die Sonnenbrille, -n ....

altmodisch ....

glatt ....

blaugrau ....

gestreift ....

gepunktet ....

kariert ....

stehen ....

• Wie steht mir die Jeans? ....

■ Seite 54 ■ ■ ■

braun ....

■ Seite 55 ■ ■ ■

das Äußere (nur Sg.) ....

die Sicherheit, -en ....

angezogen ....

gestylt ....

die Mehrheit, -en ....

die Marke, -n ....

passend ....

gehören, gehört, gehört ....

die Rolle, -n ....

der Wert, -e ....

egal ....

usw. (und so weiter) ....

die Firma, Firmen ....

die Bekleidung (nur Sg.) ....

das Produkt, -e ....

das Argument, -e ....

die Pflege (nur Sg.) ....

das Gesicht, -er ....

das Parfüm, -e/-s ....

die Armbanduhr, -en ....

der Schmuck (nur Sg.) ....

....

....

....

....

....

....

....

....

....

....

....

....

....

....

....

....

....

....

....

....

....

....

....

....

1 **Vermutungen**

Ordne die Sätze und schreibe sie ins Heft.

1. Clara / hat / Ich vermute, / keine Geschwister / dass / .
2. Ben / für die Schule / braucht / Ich glaube nicht, / viel Zeit / dass / .
3. Vielleicht / kann / Anna / am besten / singen / .
4. interessant / Yassim / sieht / aus / Ich finde, / .
5. tolle Musik / dass / die Gruppe / macht / Wir vermuten, / .

2 **Interview mit Ben, Clara, Yassim und Anna**

CD 52 **a Zahlen wiederholen – Hör zu und schreib die Zahlen. Lies sie laut.**

a) .... *27* ....   c) ....   e) ....   g) ....

b) ....   d) ....   f) ....   h) ....

b Schreib die Ordinalzahlen ins Heft.

unter 20	ab 20	unregelmäßig
der/das/die ... (2.)	der/das/die ... (20.)	der/das/die ... (1.)
der/das/die ... (5.)	der/das/die ... (57.)	der/das/die ... (3.)
der/das/die ... (19.)	der/das/die ...(1244.)	der/das/die ... (7.)

3 **Phonetik – Konsonantenhäufungen**

CD 53 **Hör zu und sprich nach.**

Ist heute der neunundzwanzigste Siebte?

Quatsch, heute ist der dreißigste Sechste.

4 **Welches Datum ist heute?**

CD 54 **Hör zu und schreib das Datum.**

Dialog 1: Heute ist der ....

Dialog 2: Morgen ist der ....

Dialog 3: Nächsten Samstag ist der ....

5 **Wichtige Tage**

a Schreib die Daten und vergleicht in der Klasse.

1. Wann bekommt ihr Sommerferien? – Am ....

2. Wann bekommt ihr Zeugnisse? – Am ....

3. Wann schreibt ihr den nächsten Test in Mathe? – Am ....

4. Wann habt ihr das nächste Mal schulfrei? – Am ....

5. Gibt es ein Schulfest? Wenn ja, wann? – ....

6. Gehst du zu einem Wettbewerb? (Sport, Musik …) Wenn ja, wann? – ....

....

b Wortschatz: Berufe und Tätigkeiten. Ergänze.

	Mann	Frau
1. Diese Person schreibt Literatur.	*Dichter*	*Dichterin* ....
	....	....
2. Er/Sie macht Musik.	....	....
3. Er/Sie spielt im Theater oder im Film.	....	....
4. Er/Sie ist Spezialist/in in Physik.	....	....
5. Diese Person fährt ein Auto.	....	....
6. Er/Sie macht viel Sport.	....	....

6 **Schulleben**

a Wiederholung Modalverben – Ergänze im Präsens oder Präteritum.

1. musste • konnte • kann • konnte

Mathe .... ich schon immer gut. Für die Mathearbeiten .... ich nie üben, das

.... ich einfach so. Aber die Fremdsprachen sind nicht leicht für mich. Ich .... nicht gut

Wörter lernen.

2. wollte • wollte • durften • musste

Ich war fünf Jahre alt. Alle meine Freunde im Kindergarten .... in die Schule, nur ich nicht.

Ich .... auch so gerne in die Schule, ich .... lesen lernen wie meine Freunde, aber ich

war zu jung, ich .... noch ein Jahr im Kindergarten bleiben.

b Schreib einen Text über dich. Was konntest/musstest/durftest du (nicht)?

7 **Hören üben**

CD 55

Hör zu, markiere die betonten Wörter und sprich nach.

1. In der ersten Klasse konnte ich schon lesen und schreiben.
2. Im Gymnasium habe ich am liebsten Theater gespielt.
3. In der 7. Klasse waren meine Leistungen nicht mehr so gut.
4. In der 8. Klasse hatte ich Nachhilfe.
5. Aber jetzt mache ich Abitur.

8

Schulleben – Schulwörter

a Such die Schulwörter und schreib sie zum richtigen Artikel und Plural.

A	Auf	auf	be	bi	den	Dik	er	Fehl	fung	ga	Ge
Haus	Klas	Leh	~~Leh~~	Leis	Ma	ma	nis	Note	plan	Prü	re
~~rer~~	richt	rin	satz	schich	se	Stun	tat	te	ter	the	tik
tung	tur	Un	Zeug								

der ..... *Lehrer* ....., -   das ...., -e (Pl. selten)   die ...., -n

der ...., "-e   das ...., -e   die ...., -n

der ...., "-e   das ...., -se   die ...., -n

der ...., -   die ...., -en

der .... (nur Sg.)   die ...., -en

(die) .... (nur Sg.)

(die) .... (nur Sg.)

die ...., -nen

b Adjektive im Dativ – Ergänze.

▶ Siehst du das Mädchen in dem rot… Auto?

▶ Meinst du das Mädchen mit den lang… Haaren und der schick… Brille?

▶ Ja, das ist Lana. Das ist die Freundin von meinem groß… Bruder.

c Akkusativ oder Dativ? Ergänze.

Das Mädchen mit den kurz… Haaren ist Lisa. Sie trägt
eine lang…, eng… Jeans mit einem breit… Gürtel, eine
weit… Bluse und einen elegant… Mantel. Im recht…
Ohr trägt sie einen Ohrring mit einem klein… Pinguin.
Sie mag gerne modisch… Kleider und man sieht sie fast
immer mit einem interessant… Ohrring, meistens im
recht… Ohr.

Der Junge mit der blau… Kappe heißt Kevin.
Er trägt gerne Schwarz: schwarz… Hosen und schwarz…
T-Shirts. Meistens trägt er gelb… oder rot… Sportschuhe.
Man sieht ihn fast immer mit seinem superschick… Handy.

der Gürtel

d Schreib einen Text über dich nach dem Modell von c.

....

....

....

....

....

9 Der/Das/Die wichtigste ... für mich

a Ergänze die Sätze mit Informationen über dich.

Der wichtigste Mensch für mich ist ..., weil ...
Die wichtigste Musik für mich ist ..., weil ...
Das wichtigste Buch für mich ist ..., weil ...
Der wichtigste Film für mich ist ..., weil ...
Das wichtigste Fach für mich ist ..., weil ...
Die wichtigste Stadt für mich ist ..., weil ...
Die wichtigste Sprache für mich ist ..., weil ...
Der/Das/Die wichtigste ... für mich ist ..., weil ...

> *Der wichtigste Mensch für mich ist meine Mutter, weil sie immer für mich da ist. Die wichtigste Musik für mich ist die Musik von „Gentleman", weil ich seine Texte mag.*

b Was bedeutet das „da"? Ergänze eine Erklärung.

1. Der wichtigste Tag für mich ist der 8. August. Da (= ...*am 8. August*...) fahre ich in Urlaub.

2. Kommst du am Samstag? – Nein, tut mir leid, da (= ....) kann ich nicht.

3. Kennst du Herrn Stoiber? Der war vor 5 Jahren unser Mathelehrer. – Nein, da (= ....)
   war ich noch nicht hier in München.

4. Was hast du an deinem Geburtstag gemacht? – Ich hatte Glück, da (= ....) hatten wir
   keine Schule und ich habe lange geschlafen und den ganzen Tag gechillt.

5. Warst du schon einmal ...*in München*...? – Nein, da (= in München) war ich noch nicht.

6. War Kevin auf Lisas Party? – Nein, Kevin war nicht da (= ....).

7. Kommst du mit ins Schwimmbad? Da (= ....) ist heute Abend Wasserdisco.

8. Ich muss noch mal zurück zur Schule gehen, ich habe da (= ....) meine Sportsachen
   vergessen.

10 Eine Kurzgeschichte

a Ordne das Präteritum zu und ergänze das Partizip.

ging • lief • kam • gab • aß • trank

Infinitiv	essen	trinken	laufen	gehen	geben	kommen
Präteritum						
Partizip	*gegessen*					

b Niemand – jemand

1. Hinter der Tür weinte ....

2. Hallo, ist da ....? Ich höre
   nichts, ich glaube, da ist ....

3. Schade, ich war ganz allein, ...
   ist mitgekommen.

4. Ich schaffe das nicht allein, ...
   muss mir helfen.

Schade,
niemand da.

c Wer war das? Ergänze: Silke, Florian, Karin, Lobo, Mutter

.... langweilt sich in der Schule.

.... mag Blumen und Tiere.

.... arbeitet im Supermarkt.

.... mag Silke.

.... hat Karin gefunden.

.... wohnt weit weg.

.... ist ein wenig langsam.

.... ist ein Border-Collie.

.... kommt um 17 Uhr nach Hause.

11 Mit der Geschichte arbeiten

Von jedem zweiten Wort fehlt ungefähr die Hälfte. Ergänze den Text.

Florian wohnt mit seiner Mutter und seiner kleinen Schwester und dem Hund Lobo in einer Wohnung in Bochum. Seine Mutter arbeitet in einem Supermarkt. Deshalb muss Florian immer seine Schwester vom Kindergarten abholen.

Im letzten Ja*hr* ist et*was* passiert. Flo_ _ _ _ _ hat Ka_ _ _ vom Kinder_ _ _ _ _ _ abgeholt. Se_ _ _ _ Schwester i_ _ sehr lan_ _ _ _ gegangen u_ _ Florian h_ _ sich geär_ _ _ _. Er h_ _ sich m_ _ seiner Schw_ _ _ _ _ gestritten.

Zu Ha_ _ _ hat er d_ _ Essen wa_ _ gemacht u_ _ dann h_ _ er im Inte_ _ _ _ mit sei_ _ _ Freundin Si_ _ _ gechattet. Er h_ _ seine kle_ _ _ Schwester verg_ _ _ _ _. Zwei Stu_ _ _ _ später w_ _ Karin w_ _. Florian h_ _ Karin übe_ _ _ _ gesucht, im Ha_ _, auf d_ _ Straße u_ _ auf d_ _ Spielplatz. Er kon_ _ _ sie ni_ _ _ finden u_ _ hatte gr_ _ _ Angst.

Da_ _ ist Lo_ _ gekommen. Er h_ _ vor d_ _ Kellertür geb_ _ _ _ und gej_ _ _ _. Florian h_ _ gehört, da_ _ jemand hin_ _ _ der T_ _ weinte. Er i_ _ schnell in d_ _ Wohnung gela_ _ _ _ und h_ _ den Kellers_ _ _ _ _ _ _ _ geholt u_ _ die T_ _ aufgeschlossen.

Da w_ _ Karin. S_ _ wollte Flo_ _ _ _ ärgern u_ _ hatte si_ _ im Kel_ _ _ _ versteckt, ab_ _ jemand ha_ _ _ die T_ _ abgeschlossen u_ _ sie kon_ _ _ nicht wie_ _ _ rauskommen.

Da wa_ _ _ beide se_ _ froh. Ka_ _ _ hat si_ _ schnell umge_ _ _ _ _. Karin u_ _ Florian ha_ _ _ die schmu_ _ _ _ _ Kleidung u_ _ den Tel_ _ _ vom Mitta_ _ _ _ _ _ versteckt.

Kurz danach ist ihre Mutter gekommen. Florian und Karin haben nichts verraten. Sie hatten großen Hunger und haben zu dritt zu Abend gegessen.

Leseecke

Schooljam – der große Wettbewerb für Schülerbands

Schooljam – der große Wettbewerb für Schülerbands

schooljam festival
basic infos
teilnahme-
bedingungen
bandbogen
voting
tipps & tools
coop
newsletter
archiv
presse
kontakt

Einmal vor großem Publikum spielen – Spielt ihr ein Instrument, singt ihr oder rappt ihr? Rock, Pop, Funk … alle Stile sind möglich.

Was müsst ihr machen? Schickt eine Demo-CD bis zum 15. November.

120 Bands spielen auf Regionalkonzerten. Diese Konzerte finden in 15 deutschen Städten statt: In Bremen, Hamburg, Rostock, Berlin, Kassel, Leipzig, Erfurt, Nürnberg, München, Stuttgart, Freiburg, Frankfurt am Main, Dortmund, Hannover und Köln treten jeweils 8 Schülerbands auf. Die besten Bands kommen zum Finale zur Musikmesse nach Frankfurt und spielen dort mit einer professionellen Anlage, mit Lichtshow und Kameras vor einem großen Publikum. Die Siegerband bekommt eine Reise in die USA!

Teilnahmebedingungen:
– Nicht mehr als 10 Schüler/innen in einer Band.
– Alle Bandmitglieder müssen noch Schüler sein.
– Schüler und Schülerinnen aus den Klassen 5 bis 13.
– Ein Musikstück, nicht länger als 5 Minuten, auf einer Demo-CD einschicken.

Mehr: www.schooljam.de

Lies die Homepage und finde die Informationen zu diesen Zahlen und Wörtern.

5, 8, 10, 13, 15, 120 – Musikmesse, USA

*Die Demo-CD darf nur
5 Minuten lang sein.*

Deine Ecke – Ein Wörterrätsel selbst machen

Schreib 15 Wörter (aus Einheit 7) in das Rätselgitter. Fülle die restlichen Lücken mit Buchstaben. Schreib Sätze für die Wörter. Tausche das Wörterrätsel mit deinem Partner. Wer hat zuerst alle Wörter gefunden und zugeordnet?

G O E T H E

Ein deutscher Dichter.

Mach die Übungen. Kontrolliere auf Seite 79 und notiere:

😊 (das kann ich sehr gut) oder 😐 (es geht) oder ☹ (das muss ich noch üben)

Vermutungen äußern – Schreib die Sätze als Vermutungen.   😊 😐 ☹

Hülya spricht Deutsch und Türkisch.
Ich glaube, dass Hülya Deutsch und Türkisch spricht.

1. Yong-Min kommt aus Korea. (ich vermute)

....

2. Hasret ist aus der Türkei. (ich glaube nicht)

....

3. Türkisch ist einfacher als Deutsch. (ich glaube)

....

4. Ben will Musiker werden. (vielleicht)

....

Personen beschreiben – Ergänze den Text.   😊 😐 ☹

Vielleicht • kommt • sieht • lange • nett • dunkelblaues

Er .... gut aus.

Ich glaube, er .... aus China.

Er ist groß und hat ...., schwarze Haare.

Am liebsten trägt er ein .... T-Shirt.

.... will er mal Basketballprofi werden.

Er ist sehr ....

Das Datum sagen – Ergänze die Fragen und die Antworten.   😊 😐 ☹

Wann • Welches • An welchem

.... Datum ist heute?   Der drit... März.

.... hast du Geburtstag?   Am zwei... April.

.... Tag beginnen deine Sommerferien?   Am vierundzwanzig... Juli.

CD 56   **Über die Schulzeit sprechen – Hör zu. Richtig oder falsch? Kreuze an.**   😊 😐 ☹

1. ☐r ☐f Pavel ist mit 6 Jahren in die Grundschule gekommen.
2. ☐r ☐f Jitka hat ihre Lehrerin in der Grundschule gehasst.
3. ☐r ☐f Pavel war schlecht in der Grundschule.
4. ☐r ☐f Das Gymnasium hat Jitka besser gefallen als die Grundschule.
5. ☐r ☐f Pavel hat nach Klasse 10 mit der Schule aufgehört und einen Beruf gelernt.

■ Seite 57 ■ ■ ■
das Datum, Daten ....

der Kindergarten, "- ....

■ Seite 58 ■ ■ ■
das Interesse, -n ....

die Hochzeit, -en ....

seit ....

der/das/die nächste ... .

der Auftritt, -e ....

das Publikum (nur Sg.) ....

denken, denkt, gedacht ....

der/das/die Dritte ....
  (nur Sg.)

■ Seite 59 ■ ■ ■
• vor einer Woche ....

• in zwei Wochen ....

gegenseitig ....

geboren

• ist geboren ....

das Geburtsdatum, -daten ....

der Präsident, -en ....

der Komponist, -en ....

musikalisch ....

die Politikerin, -en ....

der Dichter, - ....

der Schriftsteller, - ....

die Autofahrerin, -nen ....

der Physiker, - ....

der Sänger, - ....

der Sportler, - ....

■ Seite 60 ■ ■ ■
brav ....

raus ....

die Prüfung, -en ....

■ Seite 61 ■ ■ ■
stressig ....

die Gesamtschule, -n ....

die Leistung, -en ....

die Aufnahmeprüfung, -en ....

heiraten ....

■ Seite 62 ■ ■ ■
weg ....

bellen ....

die Dreizimmerwohnung, ...
  -en

das Wohnhaus, "-er ....

darauf ....

jmd. anbrüllen ....

sich beeilen ....

doof ....

die Mikrowelle, -n ....

überall ....

■ Seite 63 ■ ■ ■
die Panik (nur Sg.) ....

rennen, rennt, ist gerannt ....

rauf ....

runter ....

der Zeitungskiosk, -e ....

der Passant, -en ....

blond ....

der Spielplatz, "-e ....

zurückkommen, ...
  kam zurück,
  ist zurückgekommen

entgegenkommen, ...
  kam entgegen,
  ist entgegengekommen

springen, sprang, ...
  ist gesprungen

der Keller, - ....

die Antwort, -en ....

holen ....

der Schlüssel, - ....

aufmachen ....

schmutzig ....

umarmen ....

küssen ....

jmd. ärgern ....

verstecken, versteckt, ...
  versteckt

abschließen, schließt ....
  ab, abgeschlossen

• zu Mittag essen ....

....

....

....

....

....

Große Pause

GRAMMATIK WIEDERHOLEN

1 Wie war's in den Ferien?

a Perfekt – Ergänze das Partizip.

Tina: Wie war denn euer Wochenende in London?
Du hast noch gar nichts ...*erzählt*..........(erzählen).

Saskia: London ist super! Wir haben viel .... (fotografieren).
Aber die Zeit war zu kurz: Wir haben einige Museen ....
(besichtigen) und viel .... (einkaufen). Wir wollen alle noch mal hinfahren!

b Artikel im Dativ – Schreib die richtigen Endungen.

1. Meine Mutter ist gestern mit ihre......... Freundinnen ins Café gegangen.

2. Meine Schwester ist in den Herbstferien mit de......... Zug zu unsere......... Oma gefahren.

3. Am Wochenende hat mein Bruder bei eine......... Freund übernachtet.

4. Nächsten Sommer möchte ich mit mein......... Freundin nach Frankreich fahren.

5. Ihr wollt mit de......... Flugzeug nach Spanien fliegen? Und was macht ihr mit eure......... Hund?

2 Meine Pläne

a Modalverben im Präteritum – Schreib Sätze.

Gestern w......... i.........
i......... C.........,

aber ich k......... n.........,

weil ich meiner Mutter h.........
m......... .

Letzten Samstag w.........
w......... i......... Schwimmbad,

aber wir k.................
...................,

weil es geregnet hat. Wir m.............
zu H................. bleiben.

b Schreib Sätze mit *weil*.

das Wetter ist sehr schlecht • sie fahren gerne Schi • sie mag Mode • er hat eine Fünf geschrieben

1. Sandra möchte Friseurin werden, weil ....
2. Lukas, Mark und Kai können ihre Radtour nicht machen, weil ....
3. Julian muss viel für Deutsch lernen, weil ....
4. Die Brauns machen im Januar in den Alpen Urlaub, weil ....

3 Freundschaft

a Ergänze die Pronomen.

1. Diese Tasche ist zu schwer. Warte, Oma, ich helfe ......!
2. Jans Bruder hat manchmal Probleme mit Deutsch. Jan hilft ...... dann.
3. Vera, Dominik und Romina lernen am Wochenende zusammen. Romina hilft ...... in Mathe und
    Physik und Vera und Dominik helfen ...... in Deutsch.
4. Unser Chemielehrer ist sehr nett. Er hilft ...... immer, wenn wir etwas nicht verstehen.

b Komparativ – Ergänze die Adjektive.

Matthias: Ist das dein Vater auf dem Bild?

Christina: Nein, das ist mein Onkel Philipp. Er ist genauso
.... (groß) wie mein Vater. Mein Vater hat
.... (viel) Haare als sein Bruder, aber sein
Bruder ist .... (jung) als er. Mein Onkel ist
nicht so .... (sportlich) wie mein Vater,
kocht aber .... (gut) als er und ist auch
sehr lustig.

c Ergänze das passende Adjektiv im Komparativ und finde heraus, wie der Junge heißt.

interessant • viel • gut • gern • schnell

1. Ich bekomme ... Taschengeld als meine Freunde.
2. Ich kann ... laufen als andere Jungs.
3. Ich gehe ... ins Kino als in die Disco.
4. Ich finde Ausgehen ... als Computerspiele.
5. Meine Note in Mathe ist ... als in Physik.

Wie heiße ich?

Große Pause

4 Bilder und Töne

a Modalverben *sollen* und *dürfen*. Schreib die Sätze richtig.

1. Mama, ...? (ich / dürfen / gehen / ins Kino)

2. .... (Chris und Nils / dürfen / weggehen / bis elf Uhr)

3. Ralf, Mama hat gesagt, dass .... (du / mir / sollen / helfen / in Mathe)

4. He, Markus! Der Lehrer sagt, du ....! (den Text / sollen / vorlesen)

b Schreib wenn-Sätze.

er muss für einen Test lernen • mein Vater kommt abends nach Haus • meine Mutter hat Kopfschmerzen •
sie hat Probleme

1. Wenn ...., geht er zuerst mit dem Hund spazieren.

2. Ben darf nicht fernsehen oder am PC spielen, wenn ....

3. Wenn ...., darf ich keine laute Musik hören.

4. Yvonne telefoniert mit ihrer Freundin, wenn ....

5 Zusammen leben

a Ergänze die Reflexivpronomen.

1. Wie fühlst du ....? Geht's dir nicht gut?

2. Es regnet und Michael ärgert ...., weil er heute mit Lea ins Schwimmbad gehen wollte.

3. Diana ärgert .... immer, wenn ihre jüngere Schwester ihre Jeans und ihre T-Shirts anzieht.

4. Unsere Geschichtslehrerin ist streng. Wir ärgern ...., weil wir so schlechte Noten bekommen.

5. Warum freut ihr .... denn so? – Wir haben eine Eins in Mathe geschrieben!

6. Petra und Tobias freuen ...., weil sie morgen in die Ferien fahren.

b *Welch-* – Markiere die richtige Form.

1. **Welcher/Welchen** Sport machst du am liebsten?

2. Mein Lieblingsfach ist Bio. Und **welchen/welches** Fach magst du?

3. Ich gehe in die Video-AG und die Informatik-AG. In **welchen/welche** AGs gehst du?

6 Das gefällt mir

a Verb: *gefallen*. Ergänze das Verb und das Personalpronomen im Dativ.

1. ▶ Wie g................. d......... mein neuer Rock?

   ▶ Tut mir leid. M......... g................. nur Hosen.

2. ▶ Wie g................. e......... meine neuen Ohrringe?

   ▶ U......... g................. sie prima, aber was sagen deine Eltern?

b Ergänze die Adjektive.

neuer • neues • neue • neue • neuen • neuen

1. Ich habe mein .... Handy verloren.

2. Olli hat heute seine .... Schuhe an.

3. Ich habe für meine Mutter eine ....
   CD mit Klassikmusik gekauft.

4. Ein .... Computer kostet heute nicht mehr viel.

5. In unserer Klasse sind zwei .... Schüler.

Wie sehen denn deine Haare aus? Ich glaube, du brauchst einen .... Friseur!

c Ergänze die Adjektivendungen.

Maike: Sieh mal, das kurz...... Kleid da!

Nadja: Wow! Cool!

Maike: Und die grün...... Jacke?

Nadja: Ich finde den schwarz...... Mantel schöner.

Maike: Und wie gefallen dir die braun...... Schuhe?

Nadja: Hm, schwarz...... finde ich besser.

Maike: Komm, gehen wir rein. Ich will die Sachen
        anprobieren.

7 Mehr über mich

a Ergänze die Ordinalzahlen.

1. Weihnachten ist jedes Jahr am (24.12.) vierundzwanzig......... Zwölf......... .

2. Unser Klassenzimmer ist im (1.) e......... Stock.

3. Kevin, jetzt sage ich es dir zum (3.) d......... Mal: Mach endlich den Fernseher aus!

4. Daniels Oma hat vor einer Woche ihren (100.) hundert......... Geburtstag gefeiert.

5. Mein Geburtstag ist am ....

b Adjektive im Dativ. Ergänze die richtige Endung.

Sara: Sag mal, wer ist denn der Junge da mit dem weiß...... T-Shirt und der blau...... Kappe?

Lena: Ah, das ist Kai, der Bruder von Ariane. Und seine Freundin ist das Mädchen
       im weiß...... Minirock. Ich finde, der passt super zu ihren weiß...... Turnschuhen.

LESEN UND VERSTEHEN

Berufe und Hobbys in den Alpenregionen von Deutschland, Österreich und der Schweiz

1. Lies Text 1 und 2. Welche Fotos passen wohin? Ein Foto passt nicht.

1

Der beste Käse der Welt kommt aus unserem Land.

Sein Name? EMMENTALER.

Ca. 34.000 Tonnen Emmentaler produzieren die Käsereien hier im Jahr. Ein Käse ist 90 Kilogramm schwer. Ich liebe Emmentaler Käse. Schon als Kind habe ich viel davon gegessen. Ich habe die großen Löcher toll gefunden und wollte wissen, wie sie in den Käse kommen (machen sie die Mäuse?).

Dann hatten wir ein Projekt: „Käse selber machen". Wir haben in der Klasse Jogurt und Käse gemacht. Das war total interessant! Und es hat lecker geschmeckt. Unser nächster Klassenausflug war dann ins Emmental. Wir haben eine Käserei besichtigt und durften sogar selbst käsen, also Käse machen!

Für mich ist der Berufswunsch klar: Nach der Realschule mache ich eine Ausbildung zum Milchtechnologen. Sie dauert drei Jahre und da lernt man, wie man aus Milch Käse, Quark, Jogurt oder Eis und Desserts macht.

A

B

C

2

2/3 in unserem Land sind Berge! Berge finde ich toll! Im Sommer, aber besonders im Winter. Ich bin mit 4 Jahren schon Schi gefahren. Mein erstes Snowboard habe ich mit 7 Jahren bekommen. Snowboardfahren ist große Klasse! Es ist für mich einfach die coolste Sportart.

Im Winter fahre ich manchmal auch am Wochenende mit meinem älteren Bruder und meinen Freunden in einen Snowboardpark. Das macht total Spaß! Die Sonne scheint, alles ist schneeweiß und man „fliegt" so frei wie ein Vogel! Ein tolles Gefühl!

Ich möchte an der Uni in Innsbruck Sport studieren, aber auch Snowboardlehrerin werden. Mit 16 darf man den ersten Kurs machen. Er dauert 10 Tage und ist nicht billig. Dafür spare ich seit einigen Monaten mein ganzes Taschengeld. Die richtige Ausbildung zur Snowboardlehrerin darf ich erst mit 17 machen. Dann kann ich in meinen Ferien Snowboardunterricht geben, am liebsten in einem Kinderkurs.

2. Lies die Texte noch mal. Was ist richtig? Markiere mit einem Kreuz.

1. Auf dem Klassenausflug ins Emmental haben die Schüler ...

   [a] Jogurt selbst gemacht.

   [b] eine Käserei besichtigt.

   [c] Käse gegessen.

2. Snowboardlehrer/in kann man ...

   [a] mit 16 Jahren werden.

   [b] mit 17 Jahren werden.

   [c] mit 18 Jahren werden.

CD 57

3. Lies jetzt die Texte 3 und 4. Welcher Titel passt? Markiere mit einem Kreuz.

Text 3

☐ a Alphornmusik: alt oder auch modern
☐ b Das 4. Alphornfest beginnt

Text 4

☐ a Schliersee lädt zum Alpentriathlon ein
☐ b Triathleten trainieren am Schliersee für die Olympiade

3

In meinem Land ist das Alphorn sehr beliebt und es gibt oft Alphornfeste. Auf einem Alphornfest habe ich zum ersten Mal Alphornmusik gehört. Der Mund ist oben und der Ton kommt nach ca. vier Metern wieder raus! Das war für mich total lustig! „Darf ich auch mal probieren?", habe ich einen Musiker gefragt. „Na klar, probier doch!" Ganz einfach war es nicht und ich habe mich über meine ersten Töne sehr gefreut. „Ich will Alphorn lernen!", habe ich am selben Abend meinen Eltern gesagt. Da war ich erst neun Jahre alt. Ich habe einige Kurse gemacht und lerne jetzt bei einem Lehrer. In meinem Zimmer im Keller kann ich spielen und es ärgert sich niemand, wenn ich Tonübungen mache. Aber das Beste ist doch, wenn ich in der Natur spielen kann. Das ist ein super Gefühl. Ich vergesse den Stress, die Probleme, alles! Auf dem Alphorn kann man auch moderne Musik spielen. Eliana Burki spielt sehr guten Jazz auf dem Alphorn und ist sehr berühmt. Ich habe alle ihre CDs.

Den Alpentriathlon gibt es seit 1988. Er findet jedes Jahr im Juni oder Juli am Schliersee in Bayern statt. Man beginnt mit 1,5 Kilometern Schwimmen, fährt dann 40 Kilometer mit dem Rad durch die bayerischen Voralpen und muss zum Schluss 10 Kilometer um den Spitzingsee laufen. Das Wasser im Schliersee ist sehr sauber, der Blick auf die Alpen fantastisch! Für viele ist der Alpentriathlon der schönste Triathlon der Welt!
Beim Alpentriathlon darf man ab 18 Jahren mitmachen. Wenn eine Gruppe von drei Jugendlichen mitmacht, geht es auch ab 16. Jeder macht dann nur einen Teil: Schwimmen, Radfahren oder Laufen. In diesem Jahr können 1100 Sportler mitmachen. Ich mache zum ersten Mal mit, zusammen mit Magda und Roman. Magda schwimmt, ich fahre Rad und Roman läuft. Wir trainieren dreimal in der Woche mit unserem Trainer. Ich fahre jedes Mal zwei Stunden Rad. Wir freuen uns sehr auf den Triathlon und hoffen, dass das Wetter gut ist!

4

**4. Lies die Texte 3 und 4 noch einmal. Sind die Sätze 1–4 richtig?
Markiere r für richtig oder f für falsch.**

1. Alphorn darf man erst mit 9 Jahren lernen. ☐ r ☐ f
2. Alphornmusik kann auch modern sein. ☐ r ☐ f
3. Beim Triathlon muss man zuerst schwimmen, dann laufen und zum Schluss Rad fahren. ☐ r ☐ f
4. Beim Alpentriathlon dürfen auch Gruppen von 3 Jugendlichen ab 16 Jahren mitmachen. ☐ r ☐ f

LOGIKCLUB

5. Wer ist wer in den Texten 1–4? Lies die Sätze 1–6 und ergänze die Tabelle.

1. Hansruedi und Bruno kommen aus demselben Land.
2. Franziska möchte Snowboard lernen.
3. Bruno kommt nicht aus Österreich.
4. Aus Deutschland kommt ein Mädchen.
5. Das Mädchen aus Österreich möchte Sport studieren.
6. Hansruedi geht in die Realschule.

Name	Land	Text Nr.
Franziska Gaßner		
Nina Hirschhuber		
Hansruedi Nägeli		
Bruno Ospel		

Große Pause

HÖREN UND VERSTEHEN

6. Du hörst drei Mitteilungen für Jugendliche im Radio. Lies zuerst die Aufgaben zur ersten Mitteilung. Hör dann die Mitteilung zweimal. Kreuze an: a, b oder c? Mach mit der nächsten Mitteilung weiter.

CD 58 · **Mitteilung 1**

1. Die Berlinale ist …
   - [a] ein internationales Filmfest.
   - [b] ein internationales Fest für Jugendliche.
   - [c] ein internationales Fest für Leute ab 18 Jahren.

2. Die Filme auf der Berlinale …
   - [a] sind alle aus Deutschland.
   - [b] sind aus vielen Ländern.
   - [c] sind aus ganz Europa.

3. Die Jugendfilme laufen …
   - [a] im Kino „Zoopalast".
   - [b] im Zoo.
   - [c] in allen Kinos in Berlin.

CD 59 · **Mitteilung 2**

4. Wer organisiert die AG Schülerradio?
   - [a] Eine Schule in Berlin.
   - [b] Der Offene Kanal Berlin (OKB).
   - [c] Schüler von 16 bis 21 Jahren.

5. Wann geht das Schülerradio auf Sendung?
   - [a] Jeden Tag um 18.00 Uhr.
   - [b] Jeden Freitag um 18.00 Uhr.
   - [c] Jeden letzten Freitag im Monat um 18.00 Uhr.

6. Wenn man mitmachen will, braucht man:
   - [a] Lust und Zeit.
   - [b] ein bisschen Geld.
   - [c] viel Geld.

CD 60 · **Mitteilung 3**

7. Wie alt sind die Brüder jetzt?
   - [a] Beide sind 17 Jahre alt.
   - [b] Beide sind 11 Jahre alt.
   - [c] Der eine ist 17, der andere ist 11 Jahre alt.

8. Suresh und Jyoti wohnen …
   - [a] in den USA.
   - [b] in Indien.
   - [c] in der Schweiz.

9. Ihr Buch kostet:
   - [a] 16,95 Euro.
   - [b] 6,95 Euro.
   - [c] 7,20 Euro.

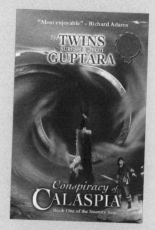

SCHREIBEN

7. In einer Jugendzeitschrift liest du diese Anzeige. Antworte mit einem Brief. Schreib zu jedem Punkt ein bis zwei Sätze ins Heft. Schreib nicht weniger als 50 Wörter.

1. Stell dich vor (Name, Alter, woher du kommst, wo du wohnst).
2. Beschreibe deine Familie.
3. Schreib über deine Schule (Klasse, Lieblingsfach, Deutschunterricht).
4. Was sind deine Hobbys? Was machst du in deiner Freizeit?

Brieffreund/Brieffreundin gesucht!

Hi! Mein Name ist Ralf. Ich bin 16 Jahre alt. Ich wohne in Leipzig und gehe auf die Geschwister-Scholl-Realschule. Ich habe zwei kleine Schwestern. Mein Hund heißt Bob. Ich spiele Schlagzeug, mag Rockmusik, Aikido, Kino und Schokoladeneis. Wer schreibt mir?

Adresse: Ralf Wieland, Funkenburgstraße 29, 04105 Leipzig

Lieber Ralf,
…

Liebe Grüße und bis bald,
…

WORTSCHATZ TRAINIEREN

8. Im Buchstabengitter findest du 26 Wörter. Schreib sie mit Artikel und Pluralform zu den Kategorien unten.

Fernsehsendung
(6 Wörter)
die Werbung, -en
....
....
....
....
....

Berufe
(6 Wörter)
....
....
....
....
....
....

Medien
(6 Wörter)
das Notebook, -s
....
....
....
....
....

Ferien/Landschaft
(5 Wörter)
....
....
....
....
....

Wetter
(3 Wörter)
....
....
....

```
H O T E L E X V W A S Y H E
A R Z E I T S C H R I F T Ö
O E C A M P I N G P L A T Z
K G E Z J S U I W U I Q I U
R E L U O U P H E G U M F N
A N B H U L O T T I R K S A
N A C H R I C H T E N Z X M
K S O N N E F I E R O E H A
E F M A A U E K R S T I E N
N R P N L S R E B U E T I A
G I U B I P N W E R B U N G
Y S T E S O S U R E O N I E
M E E R T R E R I R O G E R
N U R G I T H F C Z K E Z I
A R A E B S S R H I A L A R
S C H N E E N T E L H H M
T I G K I N R I U H U A N U
I B E R A D I O N E S N A Z
N C I I K U E N Z R E D R E
O V T M U N H G E I T Y Z L
L E S I N G U N N N K X T T
```

9. Wähle sechs Wörter aus. Schreib dann einen Text. Alle sechs Wörter sollen im Text vorkommen. Vergleicht in der Klasse.

VERBEN IM PRÄSENS

▪ ▪ ▪ Modalverben: *dürfen* und *sollen*

Singular			Plural		
ich/er/es/sie/man	darf	soll	wir/sie/Sie	dürfen	sollen
du	darf**st**	soll**st**	ihr	dürf**t**	soll**t**

	Position 2		Ende	
Luisa	darf	morgens nicht	fernsehen.	
Luisa	darf	am Wochenende bis 10 Uhr	weggehen.	
Jan	soll	erst seine Hausaufgaben	machen.	(Das sagt die Mutter.)
Jan	soll	das Handy	ausmachen.	(Das sagt der Lehrer.)

▪ ▪ ▪ Reflexive Verben

Singular		Plural	
ich	ärgere **mich**	wir	ärgern **uns**
du	ärgerst **dich**	ihr	ärgert **euch**
er/es/sie/man	ärgert **sich**	sie/Sie	ärgern **sich**

Ebenso: sich freuen, sich fühlen, sich beeilen, sich streiten, sich entschuldigen …

Warum ärgert er sich? – Er ärgert sich, weil er eine Fünf in der Mathearbeit hat.
Wie fühlt ihr euch? – Wir fühlen uns super!
Beeil dich. Der Zug fährt in 5 Minuten.

! Reflexive Verben bilden das Perfekt immer mit *haben*.

VERBEN IN DER VERGANGENHEIT

▪ ▪ ▪ Modalverben im Präteritum

ich/er/es/sie/man	konnte	musste	wollte	durfte	sollte
du	konntest	musstest	wolltest	durftest	solltest
wir/sie/Sie	konnten	mussten	wollten	durften	sollten
ihr	konntet	musstet	wolltet	durftet	solltet

Sie wollte im Hotel arbeiten, aber sie konnte keinen Praktikumsplatz finden.
Im Praktikum musste ich immer saubermachen.

Von *können, müssen, wollen, dürfen* und *sollen* benutzt man in der Vergangenheit fast immer das Präteritum.

▪ ▪ ▪ Verbformen: Partizip

trennbare Verben	Infinitiv	3. Pers. Sg.	Partizip
	einkaufen	er/sie kauft ein	er/sie hat ein**ge**kauft
	mitkommen	er/sie kömmt mit	er/sie ist mit**ge**kommen

Ebenso: abholen, abschicken, abschließen, anbrüllen, ankommen, anmachen, anprobieren, anschalten, ansehen, aufbleiben, aufmachen, aufpassen, aufräumen, aufstehen, ausbleiben, ausdrucken, ausmachen, auspacken, ausräumen, aussehen, einfallen, einpacken, einschlafen, fernsehen, hinfallen, hinlegen, kaputtmachen, losgehen, mitbringen, mitmachen, mitnehmen, runterladen, vorstellen, weggehen, wehtun, weitergehen, zuhören, zumachen, zurückkommen, zuschauen …

Verben mit *ver-, er-, be-* (kein *ge-*!):	
*ver*kaufen	er/sie hat *ver*kauft
*er*zählen	er/sie hat *er*zählt
*be*kommen	er/sie hat *be*kommen

Ebenso: sich beeilen, beginnen, begrüßen, besuchen, bezahlen, erklären, erlauben, verlassen, verlieren, verraten, verreisen, verstecken, verstehen, versuchen …

Verben auf *-ieren* (kein *ge-*!):	
fotografieren	er/sie hat fotografiert
passieren	es ist passiert

Ebenso: anprobieren, buchstabieren, interessieren, präsentieren …

▦ ▦ ▦ Perfekt: Satzklammer

	Position 2		Ende
	haben/sein (konjugiert)		Verb (Partizip)
Lea	ist	heute leider nicht	mitgekommen.
Wir	haben	mit meiner Tante Wien	besichtigt.
Leider	haben	wir unseren Fotoapparat	vergessen.
Deshalb	hat	meine Tante	fotografiert.

ARTIKEL

▦ ▦ ▦ Possessivartikel

	Singular		Plural
ich	mein, meine	wir	unser, unsere
du	dein, deine	ihr	euer, eure
er	sein, seine	sie	ihr, ihre
es	sein, seine	Sie	Ihr, Ihre
sie	ihr, ihre		

Ist das dein Platz? – Nein, aber das ist der Platz von meinem Freund.
Sie hat ihre Tante besucht.
Er ist in den Ferien zu seinen Großeltern gefahren.

▪ ▪ ▪ Artikel

	m	n	f	Plural
Nominativ	de**r** Bruder	da**s** Fahrrad	di**e** Schwester	di**e** Freunde
	ein Bruder	ein Fahrrad	ein**e** Schwester	— Freunde
	mein Bruder	mein Fahrrad	mein**e** Schwester	mein**e** Freunde
Akkusativ	de**n** Bruder		Im Neutrum (das), im Femininum (die) und im Plural (die)	
	eine**n** Bruder		sind Nominativ und Akkusativ gleich.	
	meine**n** Bruder			
Dativ	de**m** Bruder	de**m** Fahrrad	de**r** Schwester	de**n** Freunden
	eine**m** Bruder	eine**m** Fahrrad	eine**r** Schwester	— Freunden
	meine**m** Bruder	meine**m** Fahrrad	meine**r** Schwester	meine**n** Freunden

▪ ▪ ▪ Deklination von *welch-*, *dies-* und *jed-*

	m	n	f	Plural
	de**r** Schüler	da**s** Fach	di**e** Schülerin	di**e** Freizeitaktivitäten
Nominativ	welch**er** Schüler			
		welch**es** Fach	welch**e** Schülerin	welch**e** Freizeitaktivitäten
Akkusativ	welch**en** Schüler			
Dativ	welch**em** Schüler	welch**em** Fach	welch**er** Schülerin	welch**en** Freizeitaktivitäten

Ebenso: dies-, jed-

Welche Fächer hast du? Welches Fach magst du am liebsten? Zu welchen Freizeitaktivitäten gehst du?
Diese CD ist vom Lehrbuch und diese ist vom Arbeitsbuch.
Jeder Schüler und jede Schülerin bekommt zwei CDs.

> **Achtung:** *jed-* hat keinen Plural! Im Plural benutzt man *all-*:
>
> Nominativ/Akkusativ   alle Freizeitaktivitäten
> Dativ   all**en** Freizeitaktivitäten

Alle Freizeitaktivitäten machen mir Spaß.
Ich mag alle Freizeitaktivitäten.
Von all**en** Freizeitaktivitäten mag
ich Fahrradfahren am liebsten.

ADJEKTIVE

▩ ▩ ▩ Adjektive: Komparativformen

Siehe auch „Vergleiche" (S. 78)

regelmäßig:	sportlich	sportlich**er**
	ruhig	ruhig**er**
	hübsch	hübsch**er**

regelmäßig mit Umlaut:	alt	**äl**t**er**
a ⇒ ä	arm	**är**m**er**
o ⇒ ö	groß	gr**öß**e**r**
u ⇒ ü	dumm	d**ü**mm**er**
	jung	j**ü**ng**er**
	klug	kl**ü**g**er**

drei unregelmäßige Formen:	gern ⇒ **lieber**
	gut ⇒ **besser**
	viel ⇒ **mehr**

Mein Freund ist größer als ich, aber ich bin älter.
Er trinkt gerne Cola, ich trinke lieber Wasser.

▩ ▩ ▩ Adjektivdeklination

Adjektive vor dem Nomen – nach _ein, kein/mein/dein_ ...		
Singular		
	m	**n**	**f**
Nominativ	ein tolle**r** Sportwagen	ein tolle**s** Handy	eine toll**e** Hose
Akkusativ	einen tolle**n** Sportwagen	ein tolle**s** Handy	eine toll**e** Hose
Dativ	einem tolle**n** Sportwagen	einem tolle**n** Handy	einer tolle**n** Hose

Plural	**m / n / f**
Nominativ/Akkusativ	— toll**e** / meine tolle**n** Sportwagen/Handys/Hosen
Dativ	— tolle**n** / meinen tolle**n** Sportwagen/Handys/Hosen

Der Porsche 911 ist ein tolle**r**, alte**r** Sportwagen.
Zum Geburtstag möchte ich eine neu**e** Hose.
Mit meinem neue**n** Handy kann ich auch ins Internet.
Mit moderne**n** Handys kann man sogar fernsehn.

Adjektive vor dem Nomen – nach *der/das/die*

Singular	m	n	f
	der	das	die
Nominativ	der toll**e** Sportwagen	das tolle Handy	die tolle Hose
Akkusativ	den toll**en** Sportwagen		
Dativ	dem toll**en** Sportwagen/Handy		der toll**en** Hose

Plural	m / n / f
Nominativ/Akkusativ	die toll**en** Sportwagen/Handys/Hosen
Dativ	den toll**en** Sportwagen/Handys/Hosen

Adjektive im Dativ sind einfach: immer –(e)n.

PERSONALPRONOMEN

▨ ▨ ▨ Personalpronomen im Dativ

Hilfst du	**mir?**	(ich)
Ich helfe	**dir.**	(du)
Ich helfe	**ihm.**	(er/es)
Ich helfe	**ihr.**	(sie)
Helft ihr	**uns?**	(wir)
Klar, wir helfen	**euch.**	(ihr)
Ich helfe	**ihnen.**	(sie)
Ich helfe	**Ihnen.**	(Sie)

Wer hilft mir?

– Wie geht es **Ihnen**, Frau Ruper? – **Mir** geht es immer super.
– Und wie schmeckt **euch** das Essen? – **Uns** schmeckt es immer gut.
Ich mag Oma und Opa sehr gerne, in den Ferien fahre ich immer zu **ihnen**.
In Deutschland ist die Note 1 sehr gut, bei **uns** ist die Note 1 sehr schlecht.

WORTBILDUNG

▨ ▨ ▨ Ordinalzahlen

1. der/das/die **erste**	7. **siebte**	20. zwanzig**ste**
2.	zwei**te**	8. ach**te**	21. einundzwanzig**ste**
3.	**dritte**	...	100. hundert**ste**
4.	vier**te**		1000. tausend**ste**
5.	fünf**te**		
6.	sechs**te**	19. neunzehn**te**	

Bis 19 ist die Endung immer **-te**.   Ab 20 ist die Endung immer **-ste**.

Datum
Heute ist der erste Vierte.

Wann fängt der Frühling an?

Am einundzwanzigsten Dritten.

Adjektive

Bei vielen Adjektiven kann man mit dem Präfix *un-* das Gegenteil bilden:

interessant	**un**interessant
sportlich	**un**sportlich
ruhig	**un**ruhig
möglich	**un**möglich

Ich bin sehr sportlich, aber mein
Freund ist leider unsportlich.
– Findest du das Buch interessant?
– Nein, überhaupt nicht,
  es ist total uninteressant.

DIE WÖRTER IM SATZ

Hauptsatz und Nebensatz

Hauptsatz		Nebensatz	
	Konjunktion		konjugiertes Verb am Ende
Eva macht gerne Reisen.			
Ich glaube,	**dass**	Eva gerne Reisen	**macht**.
Er möchte Popsänger werden.			
Er sagt,	**dass**	er Popsänger werden	**möchte**.
Er steht nicht gerne früh auf.			
Er möchte nicht Pilot werden,	**weil**	er nicht gerne früh	**aufsteht**.
Sie hat viel gearbeitet.			
Sie kann es schaffen,	**weil**	sie viel gearbeitet	**hat**.
Er spielt auch dann,	**wenn**	ich da	**bin**.
Er ist sauer,	**wenn**	ich etwas	**sage**.

Nebensatz und Hauptsatz

Wenn wir Zeit haben,	gehen	wir ins Kino.
Wenn er kommt,	können	wir anfangen.
Dass Anne eine Zwei geschrieben hat,	finde	ich toll.

Wenn der Nebensatz vor dem Hauptsatz steht, steht im Hauptsatz das konjugierte Verb am Anfang,
direkt nach dem Komma.

▪ ▪ ▪ Satzstrukturen

Auf Position 1 können ein Wort, mehrere Wörter oder auch ein Nebensatz stehen:

Position 1	Position 2		
Wann	stehst	du	auf?
Ich	stehe	immer um sieben Uhr	auf.
Gestern Nachmittag	haben	wir Sportschuhe	gekauft.
Wenn wir Zeit haben,	gehen	wir ins Kino.	
Wenn ich etwas sage,	ist	er sauer.	

▪ ▪ ▪ Verben mit Akkusativ – Frage: *Wen?* oder *Was?*

Ich habe **Maria** gesehen.	⇨ Frage: **Wen** hast du gesehen?
Sie isst **einen Hamburger.**	⇨ Frage: **Was** isst sie?

Die meisten Verben stehen mit Akkusativ, zum Beispiel: *trinken, lesen, sehen, brauchen, haben …*

▪ ▪ ▪ Verben mit Dativ – Frage: *Wem?*

Er **hilft** sein**em** Freund.	⇨ Frage: **Wem** hilft er?
Die Hose **steht mir** gut.	⇨ Frage: **Wem** steht die Hose gut?
Mein**en** klein**en** Brüdern **schmeckt** das Essen nicht.	⇨ Frage: **Wem** schmeckt das Essen nicht?

Es gibt nur wenige Verben mit Dativ, zum Beispiel: *helfen, passen, schmecken.*

▪ ▪ ▪ Ein Verb mit Nominativ: *sein*

Er ist ein treuer Freund.

Das sind tolle Autos.

Ich bin sehr sportlich, aber mein Freund ist leider unsportlich.

▪ ▪ ▪ Vergleiche

Mein Freund ist größ**er als** ich.	Adjektiv im Komparativ + als …
Er ist **genauso** alt **wie** ich. *Oder:* Wir sind **gleich** alt.	genauso … wie …
Aber er ist **nicht so** sportlich **wie** ich.	nicht so … wie …

Siehe auch „Adjektive: Komparativformen" (S. 75).

Einen Schritt weiter – Lösungen und Lösungsbeispiele

▪ ▪ ▪ ▪ EINHEIT 1

Sagen, wie die Ferien waren (zum Beispiel): Meine Ferien waren wunderbar/gigantisch! Da war richtig was los. – Meine Ferien waren schön/wunderbar! Das Wetter war richtig/schön. – Meine Ferien waren langweilig/schrecklich! Es war blöd/langweilig. – Meine Ferien waren schrecklich/blöd! Es war kalt/schrecklich und hat geregnet. **Von Ferienerlebnissen erzählen – Reihenfolge:** 3. – 4. – 1. – 2. – 5. **Über die Vergangenheit sprechen (4):** 1. Ich habe den ganzen Abend getanzt. / Den ganzen Abend habe ich getanzt. – 2. Ich war mit Freunden in Spanien. / Mit Freunden war ich in Spanien. / In Spanien war ich mit Freunden. – 3. Am zweiten Abend habe ich Susanne getroffen. / Susanne habe ich am zweiten Abend getroffen. / Ich habe Susanne am zweiten Abend getroffen. **Über das Wetter sprechen:** 1d – 2c – 3b – 4a **Einen Wetterbericht verstehen:** 3 **Landeskunde Schweiz:** über 7 Millionen Einwohner – in den Bergen – Bern

▪ ▪ ▪ ▪ EINHEIT 2

Hoffnungen und Wünsche äußern: 1d – 2b – 3e – 4c – 5a **Über Berufe sprechen (zum Beispiel):** 1. Lehrerin: Tests korrigieren / Regeln erklären / unterrichten – 2. Journalist: Interviews machen / Artikel schreiben / viel reisen – 3. Sekretärin: Briefe schreiben / Termine planen / viel telefonieren **Etwas berichten:** 1. Ute meint, dass sie Kinder sehr mag. – 2. Sergio sagt, dass er Musiker werden möchte. – 3. Sergio hofft, dass er viel Geld verdient. – 4. Sara sagt, dass sie Journalistin werden will. – 5. Sara glaubt, dass sie Menschen helfen kann. **Etwas begründen:** 1. …, weil sie gerne organisiert. – 2. …, weil wir Lehrer werden wollen. – 3. …, weil er gut organisieren kann. **Über die Vergangenheit sprechen (5):** 1. wollte – 2. mussten – 3. konnte **Einen Bericht verstehen:** Die 2. Aussage ist richtig.

▪ ▪ ▪ ▪ EINHEIT 3

Um Hilfe bitten / Hilfe anbieten: … ▶ Klar helfe ich dir. Was ist das Problem? ▶ Tanja und ich müssen einen Aufsatz schreiben und uns beiden fällt nichts ein. ▶ Ich helfe euch beiden gern. Hilfst du mir dann morgen in Mathe? … **Eigenschaften benennen und vergleichen (zum Beispiel):** 1. Mein Freund / Meine Freundin ist genauso groß wie ich. – 2. Er/Sie ist sportlicher als ich. – 3. Ich mag Fernsehen lieber als Kino. – 4. Ich finde Deutsch nicht so interessant wie Mathe. **Komplimente machen:** 1c – 2d – 3b – 4a **Radiomeldungen:** Bei Radio „TOTAL" gibt es ein Geschenk für die „besten Freunde". – Der Radiosender plant ein Programm über gute Komplimente.

▪ ▪ ▪ ▪ EINHEIT 4

Über elektronische Medien sprechen: 1. geschrieben – 2. checken – 3. runterladen – 4. höre **Sagen was man darf / nicht darf:** 1. Im Unterricht darf man das Handy nicht benutzen. – 2. Ab 16 Jahren darf man bis 24 Uhr weggehen. – 3. Wir dürfen nicht ins Kino gehen. – 4. Warum dürft ihr nur bis 9 weggehen? **Anweisungen weitergeben:** 1. Ich habe gesagt, du sollst das Licht ausmachen. – 2. Mama hat gesagt, wir sollen aufräumen. – 3. Frau Jin hat gesagt, dass Timm die Wörter lernen soll. – 4. Herr Weiß hat gesagt, dass ich ihm das Handy geben soll. **Bedingungen und Zeit nennen (wenn):** 1. Wenn ich die Hausaufgaben gemacht habe, treffe ich Freunde. – 2. Wenn ich keine Schule habe, schlafe ich lange. – 3. Wenn mein Freund keine Zeit hat, lese ich ein Buch. – 4. Wenn meine Lehrerin mein Handy wegnimmt, bin ich sauer. **Hör das Gespräch zwischen Mutter und Tochter:** 1r – 2r – 3r – 4f – 5f

▪ ▪ ▪ ▪ EINHEIT 5

Über Gefühle sprechen: 1. Ich ärgere mich, wenn … – 2. Meine Mutter freut sich, wenn … – 3. Wir fühlen uns gut, wenn … **Eine Schule beschreiben:** Die Carl-Strehl Schule ist eine besondere Schule. Sie liegt in Marburg und ist das einzige Gymnasium für blinde Schüler. Die Schüler können hier das Abitur machen. Man lernt die ganz normalen Schulfächer. Die Schule bietet auch viele Freizeitaktivitäten, wie z.B. Schi fahren, im Chor singen oder auch Theater spielen. **Regeln formulieren:** Man muss anderen genau zuhören. – Mann muss ruhig bleiben. – Man darf nicht immer lauter reden. – Man darf nicht böse werden. – Man darf nicht aggressiv werden. **Streiten und Kompromisse finden:** 1a – 2b – 3a – 4b – 5a – 6b

▪ ▪ ▪ ▪ EINHEIT 6

Sagen, was dir gefällt (Mode/Design): 1. Ich möchte ein neues Handy haben. – 2. Ich mag deine rote Bluse. 3. – Ich finde den schwarzen Mantel super. – 4. Wie findest du das weiße Hemd? **Sachen und Personen beschreiben:** Sergio trägt immer eine coole Kappe, seine Hose ist blau. Er trägt ein weißes T-Shirt und links einen schönen Ohrring. Seine Sportschuhe sind weiß. Er hört immer laute Musik. **Kleidung kaufen:** ▶ Pedro, hast du die schwarze Jeans gesehen? ▶ Die ist ja echt super. Ich probiere sie mal an. ▶ Die Jeans steht dir. ▶ Was kostet sie? Schau mal da. ▶ 145 Euro. ▶ Was? Das ist ja viel zu teuer. **Meinung zu einer Statistik äußern:** 1r – 2f – 3r – 4r – 5f

▪ ▪ ▪ ▪ EINHEIT 7

Vermutungen äußern: 1. Ich vermute, dass Yong-Min aus Korea kommt. – 2. Ich glaube nicht, dass Hasret aus der Türkei ist. – 3. Ich glaube, dass Türkisch einfacher als Deutsch ist. – 4. Vielleicht will Ben Musiker werden. **Personen beschreiben:** Er sieht gut aus. Ich glaube, er kommt aus China. Er ist groß, hat lange, schwarze Haare. Am liebsten trägt er ein dunkelblaues T-Shirt. Vielleicht will er mal Basketballprofi werden. Er ist sehr nett. **Das Datum sagen:** Welches Datum ist heute? – Der dritte März. / Wann hast du Geburtstag? – Am zweiten April. / An welchem Tag beginnen deine Sommerferien? – Am vierundzwanzigsten Juli. **Über die Schulzeit sprechen:** 1r – 2f – 3r – 4f – 5r

Bildquellen

Umschlagfoto – Anke Schüttler; S. 04 (1) – Fotolia / George Green; S. 04 (2) - Ostsee-Holstein-Tourismus e.V.; S. 04 (3) – Fraus Verlag / Karel Brož; S. 07 – Fotolia / Evan Meyer; S. 09, 13 – Photocombo; S. 14 (1, 2) – Fraus Verlag / Karel Brož; S. 14 (3), S. 15 – Photocombo; S. 17, S. 20 (1, 2) - Fraus Verlag / Karel Brož; S. 20 (3), S. 23 – Photocombo; S. 24 (1) - Fraus Verlag / Karel Brož; S. 24 (2) – Photocombo; S. 24 (3) – Fotolia / Lisa F. Young; S. 29 – Photocombo; S. 30 (Dürer) – Wikipedia / The Web Gallery of Art, Scala Source, Albrecht Dürer; S. 30 (Dürer-Haus) – Presse- und Informationsamt der Stadt Nürnberg; S. 30 (Hände) – Wikipedia / Graphische Sammlung Albertina; S. 41 – Photocombo; S. 42 (1) – Fraus Verlag / Karel Brož; S. 42 (2) – Photocombo; S. 45 – Unsicht-Bar GmbH, Köln; S. 48 – Fotolia / Goce Risteski; S. 50 – Fotolia / Igor Lubnevskiy; S. 52 – Fraus Verlag / Karel Brož; S. 53 – Lutz Rohrmann; S. 56 – Photocombo; S. 61 – MM-Musik-Media-Verlag; S. 62 – Lutz Rohrmann; S. 64 – Fotolia / DeVIce; S. 67 – Fotolia / Simone van den Berg; S. 68 (1) – Fotolia / Monique Pouzet; S. 68 (2a) – Fotolia / BCkid; S. 68 (2b) – Photocombo; S. 69 (3) – 2004-2008, Société des Concerts de Fribourg; S. 69 (4) – af-sportmarketing; S. 70 (1) – Land Berlin - Presse- und Informationsamt des Landes Berlin und Berlin Partner GmbH / Internationale Filmfestspiele Berlin; S. 70 (2) – Photocombo; S. 70 (3) – www.twins.guptara.net